EN TOUTE HONNÊTETÉ

RUTH RENDELL

EN TOUTE HONNÊTETÉ

Nouvelles

Traduit de l'anglais
par François Rosso

QUÉBEC·**LIVRES**

Titre original : BLOOD LINES
(Première publication : Hutchinson, Londres, 1995)

ISBN 2-9205-9605-5

© Kingsmarkham Enterprises, 1995

© Calmann-Lévy, 1996, pour la traduction française

© 1996, Québec-Livres pour l'édition canadienne

Tous droits réservés

Dépôt légal : 3ᵉ trimestre 1996

Pour Don

Les mots croisés

« Est-ce que tu sais où est le *Times* ? » lui demandait Henry tous les soirs, généralement aux alentours de 20 h 30, quand elle avait débarrassé la table du dîner et rangé assiettes et couverts dans le lave-vaisselle.

Le *Times* était toujours sur la table basse près du canapé avec les deux autres quotidiens auxquels ils étaient abonnés, mais cette question faisait partie d'un rituel immuable. Fiona aimait se l'entendre poser. Elle aimait regarder Henry faire les mots croisés, les *vrais* mots croisés bien sûr, pas les petits rapides, ceux qui étaient bons pour les débutants[1]. Elle aimait voir ses sourcils se froncer un peu, puis son beau front s'éclairer chaque fois qu'il trouvait la réponse à une définition. Pour sa part, elle eût été bien incapable de venir à bout d'un problème de mots croisés même si sa vie en avait dépendu, comme elle

---

1. Le *Times* propose tous les jours à ses lecteurs deux problèmes de mots croisés : l'un relativement simple et l'autre beaucoup plus ardu. Les solutions paraissent le lendemain et les mots croisés du week-end font l'objet d'un concours où les lecteurs qui ont envoyé au journal les résultats exacts le plus rapidement se voient décerner un prix. La solution n'est publiée que dans l'édition du week-end suivant. *(N.d.T.)*

se plaisait à le répéter, fût-ce les tout simples que proposaient les journaux populaires.

Chaque fois qu'elle le contemplait ainsi, avant qu'il emportât le journal pour s'isoler dans son bureau comme il faisait le plus souvent, Fiona s'émerveillait intérieurement de la chance qu'elle avait d'être l'épouse de Henry. Une chance qui était presque l'effet d'un miracle. Lorsqu'elle s'était présentée à lui au siège de la société pour laquelle il travaillait, elle n'était qu'une intérimaire venue remplacer sa secrétaire en congé de maternité, une jeune femme des plus ordinaires, pas vilaine à regarder mais pas spécialement jolie non plus, sans autres atouts qu'un esprit naturellement clair et méthodique et une bonne compétence en matière d'informatique et de traitement de textes. En fait, elle n'avait rien à lui offrir, hormis l'admiration sans bornes qu'elle lui portait et qu'elle avait ressentie d'emblée sans pouvoir s'en cacher.

Il ne jouissait pas dans la société qui l'employait de l'estime et du respect qu'auraient mérité des capacités aussi remarquables que les siennes. Fiona avait souvent le sentiment qu'elle était la seule à l'apprécier à sa juste valeur. Au bout d'une semaine, elle avait d'ailleurs pris la liberté de lui dire que, à son avis, il possédait une intelligence de tout premier ordre.

Henry avait répondu sur un ton modeste :

« Il est exact que j'ai un QI assez élevé, mais on ne peut pas dire qu'il soit très sollicité ici.

— C'est sûrement parce que les autres sont trop aveugles pour s'en rendre compte. Mais ce doit être merveilleux d'être vraiment très intelligent. Je suppose que vous avez eu une bourse d'études, des mentions très bien avec félicitations du jury à vos examens et tout ça ? »

Il s'était contenté de sourire. Au lieu de répondre, il l'avait invitée à dîner. Un après-midi, une demi-heure avant la fermeture réglementaire des bureaux, elle était entrée et l'avait trouvé en train de faire les mots croisés du *Times*.

« Voilà ce que je fais à une heure où je suis payé pour travailler. Vous venez de me prendre en flagrant délit, Fiona », avait-il dit en accompagnant ces mots d'un de ses sourires toujours un peu mélancoliques et tellement, tellement irrésistibles.

Il n'avait pas terminé mais la moitié des cases étaient déjà remplies, et lorsqu'elle lui demanda combien de temps il lui avait fallu pour y parvenir il répondit qu'il avait commencé dix minutes auparavant. Elle fut éperdue d'admiration. Henry dit qu'il finirait ses mots croisés dans la soirée, mais avant cela, lui ferait-elle le plaisir de venir prendre un verre avec lui en sortant du bureau ?

Ces événements s'étaient produits trois ans plus tôt. La société, qui aurait mérité de faire faillite tant sa gestion était chaotique, rencontra de sévères difficultés et dut licencier plusieurs de ses cadres. Henry fut du nombre. Bien sûr, il ne lui fallut pas longtemps pour trouver une autre situation, mais avec un salaire franchement lamentable pour un homme de son envergure intellectuelle. Il était à peine mieux payé qu'elle, lui fit-elle observer avec indignation. Peu de temps après, il lui demanda de l'épouser. Fiona fut au comble de l'émotion. Elle lui dit humblement qu'elle eût accepté de grand cœur de vivre avec lui sans qu'il lui fît l'honneur de la prendre pour femme : elle était parfaitement consciente de n'avoir jamais approché une seule personne dont les facultés intellectuelles pussent se comparer aux siennes, aussi le

9

seul fait qu'il l'autorisât à partager sa vie aurait-il largement suffi à son bonheur et à sa fierté. Mais il répondit que non, ce serait le mariage ou rien, car il aurait le sentiment de lui manquer de respect en ne l'épousant pas.

Elle continua à occuper des emplois intérimaires, en prenant grand soin de partir chaque jour à temps de son travail pour être rentrée avant Henry et lui préparer son dîner. Il aurait été stupide de gaspiller de l'argent en engageant une femme de ménage, aussi consacrait-elle ses dimanches au nettoyage. Henry jouait au golf tous les samedis matin et aimait que Fiona l'accompagnât, bien que ses quelques tentatives pour apprendre à manier un club eussent révélé qu'en ce domaine comme en tant d'autres elle ne serait jamais bonne à rien. Henry affirmait que c'était pour lui une inspiration bénéfique de la savoir présente pour applaudir la qualité de son swing. Les samedis après-midi, ils faisaient des promenades en voiture et Henry avait commencé à lui apprendre à conduire.

Ils avaient contracté un emprunt d'un montant considérable pour l'achat d'une belle maison avec un grand jardin, et elle faisait de son mieux pour que pelouses et massifs fussent méticuleusement entretenus, car Henry n'avait pas le temps de s'en occuper, cela allait sans dire. Sa nouvelle société l'avait chargé de mettre au point un projet de très grande envergure, en sorte qu'il passait la plus grande partie de ses soirées à travailler dans son bureau. Fiona faisait les courses pendant la pause à l'heure du déjeuner, et, en rentrant, la cuisine, la lessive et le repassage. C'était son grand privilège dans l'existence de pouvoir se dévouer à un être aussi brillant que Henry. De surcroît, son travail était incommensurablement plus astreignant que le sien, il exigeait de lui une énorme dépense d'énergie, et à l'heure de se coucher il était parfois blême de fatigue.

Pourtant, Henry était toujours le premier debout le matin. C'était un lève tôt, il sautait du lit dès 6 h 30 et lui montait chaque jour une tasse de thé et les journaux fraîchement distribués alors qu'elle était encore couchée. Avant d'aller travailler en prenant d'abord un bus, puis le métro, Fiona n'avait rien à faire, hormis ranger les tasses et les assiettes du petit déjeuner dans le lave-vaisselle et sortir empiler les journaux de la veille dans le petit placard aménagé dans un montant du portail où ils seraient récupérés par les services de recyclage du papier.

Le *Times* était généralement en haut de la liasse, plié en quatre de telle manière que le quart inférieur gauche de la dernière page fût bien visible. Fiona n'avait pas tardé à comprendre que ce n'était pas par hasard si ce quart de page, celui où se trouvaient les mots croisés — les mots croisés *toujours terminés,* naturellement —, était ainsi offert à son regard. C'était délibéré, c'était le témoignage de la juste fierté qu'éprouvait Henry à accomplir chaque jour cette prouesse sans jamais faillir, et elle était profondément touchée qu'il tînt à lui mettre sous les yeux la démonstration de ses capacités hors du commun. Peut-être y avait-il là le signe d'une petite faiblesse de sa part, une touche de vanité, mais elle ne l'en aimait que davantage.

Un sourire mi-admiratif, mi-attendri se dessinait sur ses lèvres lorsqu'elle contemplait les cases remplies en lettres majuscules d'une parfaite netteté par les réponses à toutes ces définitions incompréhensibles. Elle aurait pu compter sur les doigts d'une seule main le nombre de fois

11

où il n'avait pas réussi à remplir toute la grille. Le soir qui avait précédé la mort de son père, par exemple. Mais bien sûr, c'était le chagrin de le savoir à l'agonie qui avait dû le troubler. On était venu le chercher à 4 heures et le lendemain, elle avait vu que le pauvre Henry n'avait été capable de trouver la solution qu'à quatre définitions. Une autre fois, il s'était réveillé avec une forte grippe, tellement mal en point qu'il n'avait pas eu la force de se lever. Le méchant virus avait dû passer à l'attaque et commencer à lui brouiller les idées déjà la veille au soir, à en juger par les mots croisés dont il n'avait trouvé les réponses qu'à deux définitions, réponses qu'il avait seulement griffonnées au crayon d'une main faible et hésitante.

Son père lui avait laissé en mourant une belle demeure ancienne qui valait beaucoup d'argent. Henry avait toujours dit que dès qu'il obtiendrait une promotion et donc un salaire plus confortable, Fiona pourrait cesser de travailler et qu'ils auraient un enfant. La perspective d'une promotion semblait de plus en plus improbable en raison des ravages de la crise économique, et aussi du fait que ses nouveaux employeurs ne semblaient pas plus conscients des facultés exceptionnelles de Henry que leurs prédécesseurs. Mais le profit qu'il tirerait de la vente de la demeure paternelle compenserait amplement ces déconvenues, et Fiona se réjouissait d'avance à l'idée qu'ils seraient bientôt en mesure de rembourser intégralement l'énorme emprunt immobilier grâce auquel ils avaient acquis leur propre maison. Peut-être pourrait-elle aussi dire adieu au secrétariat, et surtout devenir mère, comme elle l'avait toujours espéré sans jamais oser le dire. Ce fut alors qu'un soir, après le dîner, Henry lui annonça inopinément qu'il avait l'intention d'employer l'argent de son héritage à faire construire une piscine. Toute sa vie, il avait ardemment désiré avoir une piscine rien que pour lui, c'était un rêve d'enfance qui l'avait toujours poursuivi, et à présent il était décidé à le réaliser.

Fiona, cette fois, fut à deux doigts de s'apercevoir qu'il pouvait bien y avoir une ou deux failles dans la perfection en tous domaines qui faisait de son mari un être tellement à part.

« Si tu veux un enfant, c'est uniquement parce que tu crois qu'il aura toutes les chances d'être un petit surdoué, lui dit-il d'un ton taquin.

— Ou peut-être *une* petite surdouée, observa Fiona, avec une audace inaccoutumée.

— Un ou une, c'est seulement une façon de parler. Imagine qu'il hérite de ma beauté et de ton intellect. Ce serait une réussite dont la postérité garderait le souvenir ! » ironisa Henry.

Fiona ne se sentit pas vexée, car elle n'avait jamais nourri la moindre illusion sur sa propre intelligence. En outre, ne venait-il pas de lui déclarer implicitement qu'il la trouvait belle ? Elle prit le parti de rire. Elle comprenait que Henry ne fût pas toujours capable d'éviter l'écueil d'un certain égoïsme. C'était, en somme, le prix à payer pour sa supériorité intellectuelle. À certains égards, être doué d'un cerveau exceptionnel pouvait se révéler un fardeau dans la vie.

« Nous aurons une belle piscine chauffée, suffisamment grande pour un bon nageur, suffisamment profonde à une extrémité pour que je puisse plonger, dit Henry. Et bien sûr, je t'apprendrai à nager. »

Les leçons de conduite s'étaient soldées par un fiasco. Si son moniteur avait été quelqu'un d'autre que Henry,

13

Fiona aurait probablement dit que cet échec était surtout dû à sa trop grande sévérité et à son manque de patience. Mais forcément, auprès de lui, comment ne se serait-elle pas rendu compte que sa maladresse au volant d'une voiture confinait à l'imbécillité ? Elle n'avait jamais réussi à passer les vitesses correctement et perdait le contrôle de ses nerfs dès qu'il y avait d'autres véhicules à proximité.

« J'ai peur de l'eau, avoua-t-elle d'une petite voix timide.

— C'est lamentable, dit-il comme s'il n'avait pas entendu. Une femme qui va sur ses trente ans et qui ne sait même pas nager ! »

Puis, comme elle se contentait de hocher la tête d'un air contrit, il demanda :

« Est-ce que tu sais où est le *Times* ? »

Construire la piscine engloutit tout l'argent que la vente de la maison du père de Henry avait rapporté. Il en fallut même davantage, et Henry dut demander un prêt supplémentaire à la banque. La piscine était entièrement couverte, et c'était cela qui avait coûté si cher. Cela, et aussi le système de filtrage très élaboré pour que l'eau demeurât toujours parfaitement pure. Le fond était en pente, si bien qu'on avait pied d'un côté, mais de l'autre, où étaient installés le plongeoir ainsi qu'un toboggan, la profondeur atteignait deux mètres quatre-vingts.

Heureusement pour Fiona, les leçons de natation furent sans cesse remises à plus tard. Henry était tellement heureux dans sa piscine que devoir renoncer un moment à faire des longueurs et à perfectionner ses plongeons pour enseigner à sa femme les rudiments de son sport favori l'aurait mis de mauvaise humeur.

Fiona avait prévu que Henry se révélerait un excellent nageur. Quoi de plus normal ? Henry savait tout faire à la perfection. Il y avait une maxime latine qu'il lui avait citée, puis traduite, et qui aurait pu être une description de l'homme qu'il était : *mens sana in corpore sano*. Elle l'avait mémorisée, mais en remplaçant *sana*, ou « sain », par « extraordinaire ». Elle aurait bien aimé venir s'asseoir au bord de la piscine pour le regarder tout à son aise, et regrettait qu'il préférât nager au réveil, à 6 h 30, c'est-à-dire bien avant qu'elle fût levée.

Le soir, lorsqu'il faisait ses mots croisés, il arrivait qu'il lui demandât son avis sur une définition qui le laissait perplexe. En fait, l'expression « demander son avis » n'était certainement pas la meilleure. Il eût été plus juste de dire qu'il pensait tout haut et attendait ses commentaires. Les réflexions qui lui venaient alors, truffées de références à des personnages mythologiques ou littéraires dont elle ignorait tout, semblaient le plus souvent presque incompréhensibles à Fiona. Ainsi, le soir où il fit allusion à Psyché. Ce nom lui fit penser à certains mots qui commençaient de façon similaire, comme « psychologie » ou « psychiatre », mais ne lui évoqua rien de plus. De même, Cupidon n'était pour elle qu'un bébé grassouillet avec des ailes, et elle ne savait pas que c'était l'autre nom d'Eros, lequel d'ailleurs n'était dans son esprit pas autre chose que la statue au sommet de la fontaine de Piccadilly Circus.

« Je suis désolée, mais pour moi tout ça est de l'hébreu », dit-elle humblement.

15

Henry adorait la gratifier de longues explications détaillées. Dans un geste d'affection inhabituel, il l'attira vers lui et serra sa main dans les siennes.

« Psyché était l'épouse de Cupidon, qui, comme chacun sait, était le dieu de l'amour. Mais elle n'avait jamais vu son visage, parce qu'il venait toujours la retrouver à la nuit noire. Naturellement, cela la troublait. Et si son mari avait été un monstre affreux et difforme ? Alors, au mépris de son interdiction absolue et répétée (et là, Henry posa sur sa femme un regard sévère), Psyché se leva une nuit dans l'obscurité, alluma une chandelle et s'approcha du lit où Cupidon dormait. À peine avait-elle eu le temps de s'émerveiller devant sa beauté incomparable qu'une goutte de cire brûlante tomba de la bougie sur la peau nue de son divin époux. En poussant un cri, il sauta du lit et sortit en courant de la maison. Elle ne le revit jamais plus.

— Eh bien, elle n'aurait pas dû lui désobéir. N'empêche que je ne vois pas comment tout ça peut rentrer dans la définition. Mais attends une minute... Oui, bien sûr, si tu écris R, O, E, S dans ces quatre cases, c'est l'anagramme d'Eros... »

Henry remplit les quatre cases de son écriture si parfaitement nette. Fiona vit qu'il avait rempli presque la moitié de la grille. Elle fit de son mieux pour réprimer un bâillement. À cette heure, elle était toujours si fatiguée qu'elle avait du mal à garder les yeux ouverts, alors que Henry pouvait rester dispos et l'esprit alerte pendant plusieurs heures encore. Pour les gens doués de cerveaux comme le sien, quatre ou cinq heures de sommeil étaient largement suffisantes.

« Je crois que je vais monter me coucher, dit-elle.

— Eh bien, bonne nuit. »

16

Il ajouta, à retardement mais gentiment, « chérie ».

Pour une raison qui échappait à Fiona, Henry ne faisait jamais les mots croisés du *Times* le samedi, dans l'édition du week-end. Fiona disait que c'était grand dommage, parce que c'étaient ceux pour lesquels le journal décernait un prix aux lecteurs qui lui faisaient parvenir les premiers la grille dûment complétée. Henry se contentait de sourire, et rétorquait que s'il faisait des mots croisés, c'était par pur plaisir intellectuel et non parce qu'il avait envie de gagner quelque chose. Bien sûr, on ne pouvait pas savoir aussi rapidement si l'on n'avait pas fait d'erreur, puisque la solution des mots croisés du week-end n'était pas publiée le lendemain comme cela se passait les jours de semaine, mais seulement dans l'édition du week-end suivant. Fiona avait fait un jour cette remarque, peut-être un peu naïvement, avec pour résultat tout à fait inattendu que Henry s'était mis très en colère. Tout le monde savait qu'avec les mots croisés, il ne pouvait y avoir qu'une solution exacte, avait-il rétorqué d'un ton exaspéré. Même les ignares qui n'en faisaient jamais savaient cela.

Dès la fin des beaux jours, lorsque Henry se levait, l'aube n'avait pas encore commencé à poindre. Quelquefois, elle sentait dans son demi-sommeil qu'il n'était plus là, que l'autre moitié du lit était vide. Il arrivait qu'une demi-heure plus tard elle entendît le livreur de journaux glisser les trois quotidiens par la boîte aux lettres, et même le son amorti qu'ils faisaient en tombant sur la moquette du vestibule. Mais le plus souvent, elle n'était consciente de rien jusqu'au moment où Henry remontait de la piscine avec son thé et les journaux.

Henry ne lui avait jamais fait la moindre réflexion désobligeante sur son habitude de rester au lit une bonne

17

heure de plus que lui, et pourtant elle avait honte de son incapacité à se lever plus tôt. D'une certaine façon, cela ne lui ressemblait pas, ce n'était pas dans sa nature d'attendre aussi complaisamment qu'elle s'extirpât d'entre les draps. Dans aucun autre domaine et à aucun autre moment de la journée il ne faisait preuve d'une indulgence comparable, et elle avait parfois le sentiment que cet effort désintéressé qu'il s'imposait au petit matin devait être aux limites du supportable pour un homme à l'esprit aussi acéré et toujours en éveil, et dont, par ailleurs — il fallait bien l'admettre —, la patience n'était pas la qualité première. Jamais il ne se plaignait qu'elle fût une grosse dormeuse, jamais, même, il ne s'était permis la plus innocente taquinerie à ce propos, et cela ne faisait qu'ajouter à son sentiment de culpabilité.

Un jour où, comme à l'accoutumée, elle faisait les courses pendant la pause à l'heure du déjeuner, elle acheta un réveille-matin. C'était un objet qu'ils n'avaient jamais possédé : ils n'en avaient aucun besoin puisque Henry, comme il se plaisait à le répéter, était capable de se « programmer » pour se réveiller exactement à l'heure qu'il souhaitait. Fiona plaça le réveil dans le placard de son petit meuble de chevet, où personne ne pouvait le voir. L'idée la traversa — bien qu'elle n'eût pour le moment rien fait encore, qu'elle n'eût pas réglé la sonnerie — qu'en ne parlant pas de cet achat à Henry, son acte équivalait à un mensonge. Elle ne lui avait jamais menti à propos de quoi que ce fût, c'était la toute première fois, et peut-être était-il inévitable que lui revinssent en mémoire, tandis qu'elle y réfléchissait, l'histoire de Cupidon et Psyché et les tristes conséquences du stra-

18

tagème de Psyché, pourtant bien innocent — tout comme l'était le sien.

Le réveil resta dans le petit meuble. Tous les soirs elle songeait à régler la sonnerie, mais ne s'y résolvait jamais. Cette hésitation et cette incertitude quotidiennes eurent bientôt pour effet de la réveiller de bonne heure sans qu'aucune aide mécanique fût nécessaire. Le seul fait d'y penser avant de s'endormir s'avéra suffisant, et Henry, en maillot de bain et peignoir en éponge, avait à peine quitté la chambre qu'elle ouvrait tout grands les yeux. Le quatrième matin où les choses se déroulèrent de cette façon, au lieu de paresser jusqu'à 7 h 45, elle sauta du lit au bout de dix minutes.

Henry devait être en train de nager. Elle entendit le livreur de journaux approcher de la porte, le volet métallique de la boîte aux lettres claquer deux fois et les journaux tomber sur la moquette avec un bruit étouffé. Ferait-elle mieux de se mettre aussi en maillot de bain ou de descendre à la piscine tout habillée ? Finalement, elle opta pour un compromis et enfila la tenue de jogging qu'elle avait achetée sans le moindre enthousiasme à l'idée de courir et qui n'avait d'ailleurs presque jamais vu la lumière du jour.

Aujourd'hui, ce serait elle qui préparerait du thé pour Henry et le lui apporterait en même temps que les journaux. Mais quand elle descendit l'escalier et se retrouva dans le vestibule, il n'y avait pas de journaux sur la moquette, seulement une enveloppe brune avec une facture à l'intérieur. Elle avait dû se tromper, c'était le facteur et non pas le livreur de journaux qu'elle avait entendu. Il était à peine 7 heures, un peu tôt sans doute pour que les journaux aient déjà été distribués.

Fiona se dirigea vers la piscine. Quand elle verrait Henry, elle se contenterait de lui faire un signe de la main d'un air dégagé. Peut-être lui lancerait-elle joyeusement : « Allez, un peu de nerf avant les Jeux olympiques ! » ou une quelconque plaisanterie de ce genre.

La porte de verre qui donnait accès à la piscine était légèrement entrouverte. Fiona marchait pieds nus. Elle poussa la porte et avança silencieusement. L'odeur désagréable du chlore lui irrita un peu les narines. Bien que les toutes premières lueurs de l'aube commençassent d'apparaître, il faisait encore presque nuit dehors, et on apercevait à travers le grand panneau vitré qui formait la plus grande partie du plafond le sombre bleu pourpré du ciel que teignaient les premières rougeurs du matin. Henry n'était pas dans la piscine mais assis dans un des fauteuils en rotin entourant la table en verre sur la berge, à moins de deux mètres d'elle. La lumière d'un projecteur fixé au plafond tombait directement sur les deux journaux posés devant lui, l'un et l'autre pliés en deux, et dont le bas de la dernière page retenait apparemment toute son attention.

Fiona vit immédiatement ce qu'il était en train de faire. Ce n'était pas bien difficile. À partir de la solution publiée dans le *Times* d'aujourd'hui, il remplissait la grille de mots croisés du *Times* d'hier. Elle voyait très clairement que c'était à cela qu'il était occupé, et pourtant, pendant quelques instants, elle eut la certitude que ce n'était pas la vérité. Ce devait être une plaisanterie, ou bien il effectuait cet exercice de copie dans une intention bien précise qui lui échappait.

Mais quand il se retourna, dissimulant précipitamment les deux journaux sous le supplément « Radio & TV » du

Times, elle sut, en voyant son visage, que ce n'était ni une plaisanterie ni un travail dans un but mystérieux. Il était devenu blême. Il semblait incapable de proférer une parole et elle tressaillit devant l'éclat de panique qui envahissait son regard.

« Je vais faire du thé », dit-elle.

Le parti le plus sage et le plus charitable aurait été d'oublier ce qu'elle venait de voir. Mais voilà : elle savait qu'elle ne le pourrait pas. Dans cette fraction de seconde où elle s'était tenue dans l'encadrement de la porte de la piscine, le regardant, il avait complètement changé à ses yeux, et pour toujours. Elle ne cessa d'y repenser toute la journée, et fut incapable de se concentrer un seul instant sur son travail.

Pas une seule fois elle ne se dit qu'il l'avait abusée. Elle songeait seulement qu'elle l'avait pris sur le fait. Comme Psyché, elle avait approché de lui la flamme d'une chandelle et découvert son vrai visage. Il n'était pas le brillant cerveau qu'elle avait cru. Il ne pouvait même pas venir à bout des mots croisés du *Times*. Maintenant, elle comprenait pourquoi il ne les faisait jamais le samedi : il savait qu'il ne lui serait pas possible de recopier les réponses le lendemain ou le lundi matin, puisqu'elles ne seraient publiées que dans l'édition du week-end suivant. Elle comprenait pourquoi il avait été incapable de les finir la fois où on était venu le chercher parce que son père était mourant, de même que la fois où il avait été terrassé par la grippe : il n'avait tout simplement pas été en mesure de s'emparer du journal dès le passage du livreur, entre 6 h 30 et 7 heures. Et il y avait une foule d'autres vérités dont elle prenait conscience au sujet de Henry. Si personne ne reconnaissait la supériorité de son intelligence, c'était parce qu'il n'avait pas une intelligence supérieure. S'il avait perdu la situation enviable et très bien rémunérée qu'il occupait lorsqu'elle l'avait connu, c'était parce qu'il n'était pas intellectuellement à la hauteur.

Elle comprenait tout cela et ne l'en aimait que davantage. Tout comme elle avait senti monter en elle un flot de tendresse presque maternelle quand il pliait le journal de telle façon que la grille de mots croisés entièrement remplie lui tombât sous les yeux, à présent elle était envahie par un sentiment d'intense compassion devant sa faiblesse et sa vulnérabilité de grand enfant. Elle l'aimait plus profondément que jamais, et si l'admiration et la déférence s'étaient évanouies, en quoi ces choses importaient-elles, après tout, au regard de la tendre intimité d'un mariage heureux ?

Ce soir-là, il ne s'absorba pas dans les mots croisés du *Times*. Elle l'avait prévu et, naturellement, ne fit aucun commentaire. Ni l'un ni l'autre n'avaient prononcé un mot au sujet de ce qu'elle avait vu le matin, et elle savait que ni l'un ni l'autre n'en diraient jamais rien. Même si ses sentiments pour lui étaient complètement transformés, elle croyait sincèrement que sa manière de se comporter à son égard pouvait demeurer inchangée. Mais quand, au bout de quelques jours, il fit de nouveau une remarque sur le fait qu'il était lamentable pour une femme de son âge de ne pas savoir nager, au lieu d'acquiescer avec un petit sourire triste, elle se mit à rire et répondit que, vraiment, c'était exagéré d'être aussi sévère et intolérant. Personne n'était parfait.

Le surlendemain, il se lança à son intention dans l'explication compliquée d'un problème monétaire dont il avait été question au journal télévisé. Elle eut l'impression que son analyse était erronée, il confondait les *livres* avec les dollars, et elle le lui dit.

« Depuis quand es-tu une experte en matière boursière ? » répliqua-t-il, piqué.

Auparavant, elle se serait excusée, mais cette fois, elle lui répondit :

« Je ne suis pas plus experte que toi, Henry, mais j'ai des yeux pour voir et il est parfaitement visible que tu te trompes. Tu ne crois pas que nous ferions mieux de reconnaître que nous n'y connaissons rien ni l'un ni l'autre ? »

Elle n'avait plus confiance en l'exactitude de ses traductions de citations latines ni en l'authenticité des mythes antiques dont il lui parlait. Un jour où des amis qu'ils avaient invités à dîner se voyaient régalés de ses plaisanteries favorites sur le thème de son incapacité à apprendre à conduire, elle se leva en éclatant de rire et lui passa un bras autour des épaules.

« Ce pauvre Henry se met dans de telles rages à la moindre erreur que j'ai eu peur qu'il tombe raide mort d'un infarctus un jour ou l'autre, alors j'ai préféré arrêter les leçons. »

Il n'aborda plus jamais ce sujet.

« C'est drôle, non ? dit-elle un samedi sur le terrain de golf. J'ai longtemps cru que c'était formidable si tu avais un handicap de vingt-cinq. Je ne comprenais rien du tout ! »

Il ne répondit rien.

« Ce n'est pas ce qu'il y a de mieux dans un couple si l'un des deux se sent tout petit devant l'autre, tu ne crois pas ? L'idéal est de se sentir parfaitement égaux. Mais bien sûr, je suppose qu'il n'y a rien de plus naturel que

23

d'idéaliser son nouveau conjoint quand on est jeune mariée. Pour moi, cette période-là a duré plus longtemps que pour la plupart des gens, voilà tout. »

Apprendre à nager ne lui inspirait plus aucune appréhension. S'il devenait par trop autoritaire, elle se moquait de lui. En fait, lui-même n'était pas si bon nageur que cela. Son crawl était anarchique et bon nombre de ses tentatives de plongeons se terminaient par des plats retentissants. Un jour qu'elle était étendue au bord de la piscine du côté où l'eau était le plus profonde, appuyée sur un coude et le regardant remonter par l'échelle métallique, elle lui dit :

« Tu sais, Henry, tu as toujours une très belle silhouette, mais ça risque de ne pas durer si tu ne fais pas attention. Tu commences à avoir une vraie petite bouée de sauvetage autour de la taille ! »

Son visage devint un tel masque de tragédie, elle vit soudain tant de détresse nue devant elle, dans ses yeux à l'expression égarée de douleur et d'angoisse, qu'elle réprima le rire joyeux qu'elle sentait monter dans sa gorge et se hâta d'ajouter, pour le consoler :

« Allons, allons, n'aie pas l'air si triste, mon pauvre chéri. Rassure-toi, je continuerais à t'aimer même si tu étais gras comme un bouddha et si tu pesais cent cinquante kilos ! »

Il était presque sorti de l'eau, mais redescendit deux marches de l'échelle, tendit les mains vers elle, la saisit par les poignets et l'entraîna dans la piscine. Ce fut si rapide et si inattendu qu'elle ne résista pas. Elle eut un cri de frayeur quand elle se retrouva dans l'eau. La profondeur était de deux mètres quatre-vingts à cet endroit, elle ne pouvait pas nager plus de trois ou quatre brasses d'affilée, et elle s'élança contre lui pour se raccrocher à ses épaules.

Il desserra de force l'étreinte de ses doigts et la poussa sous la surface. Elle essaya de crier mais l'eau s'engouffra dans sa bouche et lui remplit la gorge. Désespérément, elle se débattit dans cet élément d'un bleu verdâtre, l'eau chlorée au goût insupportablement chimique, gesticulant, s'enfonçant de plus en plus, cherchant aveuglément quelque chose à quoi s'agripper, la barre métallique courant sous le rebord, ses bras, ses pieds, les marches de l'échelle. Un talon vint la frapper violemment, un autre exerça une pression rageuse sur sa tête. Elle cessa de bloquer sa respiration, elle ne pouvait plus, et l'eau vint gonfler ses poumons jusqu'au moment où la clarté derrière ses yeux vira au rouge sang et où tout s'obscurcit à l'intérieur de sa tête. De grands coups de tambour dans le noir, boum, boum, boum, et puis ce fut fini.

Henry attendit pour voir si le corps remonterait pour flotter à la surface. Il attendit longtemps mais elle resta au fond, telle une grande étoile de mer, plaquée contre les carreaux bleus un peu moins de trois mètres plus bas. Alors il la laissa là et, s'enveloppant dans son épais peignoir en éponge, rentra dans la maison. Quoi qu'il arrivât, quelques mesures qu'il décidât de prendre dans les heures qui suivraient, à supposer qu'il en prendrait, il ferait les mots croisés du *Times* ce soir. Du moins, autant que faire se pourrait.

Fumée

Il y avait déjà plus d'un an que Linda faisait matin et soir office d'aide-soignante auprès de Betty lorsqu'elle prit brusquement conscience que si c'était à elle que cette tâche incombait, c'était uniquement parce qu'elle était une femme. Betty était la mère de Brian, non la sienne, et elle avait de surcroît deux autres enfants, deux fils, tous les deux célibataires. Mais personne n'avait jamais suggéré que l'un des trois frères pourrait prendre sa part du lourd travail que représentaient les soins dispensés à leur mère impotente. Betty n'avait jamais beaucoup aimé Linda. Elle avait souvent laissé clairement entendre qu'à ses yeux, Brian n'avait pas fait un bon mariage, et une fois, dans un accès de colère, déclaré sans détour que Linda n'était « pas à la hauteur » d'un homme comme son fils ; mais au demeurant, c'était Linda et personne d'autre qui prenait soin d'elle à présent. Linda se sentit stupide de n'avoir pas considéré les choses sous cet angle jusque-là.

Elle savait qu'en parler à Brian ne la mènerait pas très loin. Brian dirait — et d'ailleurs, il l'avait déjà dit — que c'était de toute façon un travail de femme. Un homme ne pouvait pas s'occuper des besoins intimes d'une vieille femme invalide, c'était une chose qui ne se faisait pas. Et si Linda lui demandait pourquoi, il lui répondait qu'elle disait des bêtises : tout le monde savait pourquoi.

« Et si c'était ton père qui lui avait survécu, si c'était lui qui s'était retrouvé seul et invalide, est-ce que c'est aussi moi qui aurais dû m'occuper de lui ? »

Brian regarda par-dessus son journal. Il avait la télécommande à côté de la main mais ne baissa pas le volume du son de la télévision.

« Ce n'est pas lui qui s'est retrouvé seul et invalide.

— Non, mais si ç'avait été lui ?

— J'imagine que tu t'en serais occupée. De toute façon, il n'y a personne d'autre, que je sache. Ni Jeff ni Michael ne sont mariés. »

Tous les matins, après que Brian était sorti pour faire le tour de la ferme et avant de se rendre à son travail à la mairie, Linda prenait sa voiture, traversait le village, tournait à gauche après l'église sur la petite route, s'engageait dans le chemin cahoteux et, au bout d'un kilomètre et demi, arrivait au petit cottage au milieu des champs de seigle où Betty vivait seule depuis la mort de son mari douze ans auparavant. Betty dormait au rez-de-chaussée, dans une chambre à l'arrière de la maison. Elle était toujours réveillée quand Linda arrivait, même si sa bru était invariablement là dès 7 h 30, et elle commençait toujours par dire qu'elle était réveillée depuis 5 heures.

Linda l'aidait à s'asseoir au bord du lit et changeait l'alèse mouillée. Presque tous les jours, il fallait qu'elle change aussi les draps. Elle faisait la toilette de Betty, lui faisait enfiler une chemise de nuit propre et une veste tricotée pour qu'elle n'ait pas froid, des chaussettes et des pantoufles, et, tandis que Betty poussait des cris et des grognements, la soulevait et l'installait du mieux qu'elle

28

pouvait dans le fauteuil où elle resterait assise pour le reste de la journée. Puis, c'était le petit déjeuner. Le plus souvent, du thé au lait très sucré, du pain, du beurre et de la marmelade. Betty ne voulait pas entendre parler d'utiliser une tasse à bec verseur pour boire son thé plus commodément. Pour qui Linda la prenait-elle, pour un bébé ? Elle buvait donc dans une tasse normale, et, à moins que Linda se fût souvenue à temps de lui mettre en guise de serviette un de ces carrés de coton qui, jadis, étaient effectivement utilisés pour les bébés, le thé dégoulinait sur le devant de la chemise de nuit toute propre, et il fallait changer Betty une seconde fois.

Après le départ de Linda, l'infirmière du canton passait, mais pas tous les jours. Puis, vers midi, c'était le tour de la dame du service de repas à domicile pour les personnes âgées qui apportait à Betty son déjeuner, des petits plats dans des barquettes recouvertes de papier d'aluminium avec une étiquette identifiant les mets. De temps en temps, dans l'après-midi, Brian venait aussi. Il venait « jeter un coup d'œil », comme il disait. Non pas pour *faire* quoi que ce fût, un peu de rangement par exemple, ou passer un coup d'aspirateur, ou même préparer une tasse de thé pour sa mère, mais seulement pour s'asseoir un petit quart d'heure dans la chambre de Betty en fumant une cigarette et en regardant la télévision. Une fois par mois environ, Michael, celui des frères qui habitait à cinq kilomètres, venait aussi pour une brève visite et regardait la télévision avec Brian. L'autre frère, Jeff, celui qui habitait à quinze kilomètres, ne venait jamais sauf pour Noël.

Linda savait toujours si Brian était passé, à cause de l'odeur du tabac et du mégot écrasé dans le cendrier. Mais même s'il n'y avait eu ni odeur ni mégot, elle l'aurait su de toute façon car Betty ne manquait jamais de le lui dire. Betty considérait que Brian était un saint de laisser tomber pour un moment les travaux de la ferme et venir voir sa vieille mère. Elle n'était plus capable de parler distinctement, mais se débrouillait toujours pour être intelligible lorsqu'il s'agissait de Brian, le fils le plus parfait qu'une femme eût jamais enfanté.

Il était environ 17 heures quand Linda revenait. En général, il fallait de nouveau changer l'alèse, et aussi la chemise de nuit. Pour une femme si malade et partiellement paralysée, Betty mangeait beaucoup. Linda lui préparait des œufs brouillés ou des filets de poisson avec des légumes frais et plusieurs tranches de pain grillé bien beurré. Elle lui apportait des gâteaux qu'elle avait achetés à la pâtisserie, ou, l'été, des fraises avec de la crème. Elle lui refaisait du thé et, quand le repas était terminé, transportait tant bien que mal Betty dans son lit.

La fenêtre de la chambre n'était jamais ouverte, même pour aérer. Betty ne voulait pas. La pièce sentait l'urine et la lavande, le camphre et les repas apportés à domicile. Aussi, tous les matins, avant de partir pour son travail, Linda ouvrait-elle en grand la fenêtre de la salle de séjour et laissait-elle les portes ouvertes un moment. Ça ne changeait pas grand-chose, mais elle continuait à le faire quand même. Le soir, quand elle avait couché Betty, elle faisait la vaisselle et fourrait tout le linge souillé dans un grand sac en plastique pour l'emporter à la ferme, où elle le laverait et le repasserait. La question qu'elle avait longtemps posée à Betty au moment où elle s'apprêtait à partir avait perdu tout intérêt puisque Betty répondait toujours non, et elle ne l'avait plus jamais formulée depuis le jour où elle avait eu cette conversation avec Brian et où elle lui avait demandé pourquoi c'était forcément elle qui devait sans cesse prendre soin de sa mère ; mais un soir, elle la posa de nouveau.

« Vous ne croyez pas que ce serait mieux si vous veniez vous installer avec nous à la ferme, belle-maman ? »

L'ouïe de Betty était capricieuse. Ce soir-là, elle était dans un de ses jours de surdité.

« Quoi ?

— Vous ne croyez pas que ce serait mieux si vous veniez habiter avec nous ?

— Je ne quitterai ma maison que les pieds devant ! Combien de fois faut-il que je vous le répète ? »

Linda s'en alla en lui disant « à demain matin ». L'air plutôt réjouie par cette perspective, Betty lui répondit que demain matin elle serait morte.

« Sûrement pas vous », dit Linda.

C'était ce qu'elle disait toujours et, jusqu'à présent, les événements lui avaient toujours donné raison.

Linda passa dans la salle de séjour et ferma la fenêtre. Cette pièce était meublée d'une façon qui devait déjà sembler désuète au temps de la jeunesse de Betty. Au centre se trouvait une grande table rectangulaire entourée de six chaises dont le siège et le dossier étaient tendus de soie verte complètement fanée. Il y avait un grand buffet et une banquette très dure, mais pas de fauteuils, ni de tables basses, ni de livres, et pas davantage de lampes excepté le lustre en plein milieu, avec ses ampoules couvertes d'un abat-jour en parchemin, suspendu directement au-dessus d'un vase en verre épais, lui-même posé sur un grand napperon en dentelle, très exactement au centre de la table.

Pour Dieu sait quelle raison, depuis que Betty était restée à demi paralysée après sa seconde attaque, tout le courrier, tous les prospectus publicitaires et même les journaux de petites annonces distribués gratuitement finissaient par venir s'entasser sur cette table. Habituellement, au bout de deux ou trois mois, Linda la débarrassait de cet amoncelle-ment, mais elle ne l'avait pas fait depuis assez longtemps et elle remarqua que le vase n'émergeait plus que d'une dizaine de centimètres au-dessus de l'océan de paperasses. Quant au napperon en dentelle, il était complètement invisible. Mais elle remarqua aussi quelque chose d'autre.

La journée avait été ensoleillée et chaude, très chaude même pour le mois d'avril. Le cottage était exposé au sud et tout l'après-midi, les rayons du soleil avaient illuminé la pièce. Même à cette heure-ci, ils continuaient à se déverser par la fenêtre, frappant le col du vase avec tant d'intensité que le verre brillait trop fort pour qu'on pût le fixer des yeux. À l'endroit où le verre frappé par le soleil touchait un vieux journal, il y avait une trace de brûlure. Le verre surchauffé avait imprimé une marque roussâtre sur les minces feuillets.

Linda se frotta les yeux. Non, ils ne l'avaient pas trompée. Ce qu'elle apercevait était bien de la fumée. Et maintenant, elle percevait même une légère odeur de papier en train de brûler. Pendant un moment, elle resta debout sans bouger, stupéfaite de ce phénomène dont elle avait entendu parler mais auquel elle n'avait jamais vraiment cru. C'était comme le truc de la loupe que les scouts utilisaient pour faire du feu, songea-t-elle, et elle se souvint d'avoir lu quelque part qu'une forêt avait brûlé à cause d'un morceau de verre laissé dans une clairière en plein soleil.

Il n'y avait pas d'endroit où jeter la pile de papiers, aussi alla-t-elle prendre un autre grand sac en plastique pour les transporter. Betty cria pour réclamer quelque chose, mais en fait elle voulait seulement savoir pourquoi Linda était encore là. Linda épousseta la table, remit à leur place le napperon en dentelle et le vase, puis, avec un énorme sac de linge sale dans une main et un second, tout aussi énorme, plein de vieux papiers dans l'autre, elle rentra chez elle pour faire la lessive et préparer le repas du soir pour Brian, elle-même et les enfants.

L'incident du vase et du papier brûlé par le soleil avait paru si curieux et si intéressant à Linda qu'elle avait eu l'intention de le raconter à Brian et aux enfants, Andrew et Gemma, lorsqu'ils se mettraient à table. Mais ils étaient absorbés par la finale de « Questions pour un champion » à la télévision, et lui firent signe de se taire dès qu'elle ouvrit la bouche. L'occasion passa, et les occupations des uns et des autres pendant la soirée firent qu'il n'y en eut plus d'autre ce jour-là. Le lendemain, cette histoire de vase enflammant le papier ne lui semblait plus aussi extraordinaire, et Linda décida que cela ne valait pas la peine d'en parler.

Au cours des semaines qui suivirent, Brian proposa plusieurs fois à sa mère de venir vivre à la ferme. Les réponses de Betty étaient très différentes de celles qu'elle donnait à Linda lorsqu'elle lui faisait la même suggestion. Brian et ses enfants, disait-elle, n'auraient que faire d'une vieille femme inutile sous leur toit, la jeunesse et le grand âge n'étaient pas faits pour cohabiter, ce qui, bien sûr, n'empêchait pas qu'elle éprouvât une infinie reconnaissance envers son fils pour la générosité avec laquelle il lui offrait de l'héberger. Pendant ce temps-là, Linda continuait à venir au cottage matin et soir, à faire le ménage en grand tous les samedis et à laver le linge souillé de Betty.

Un après-midi, alors que Brian était assis dans la chambre de sa mère, fumant une cigarette, le docteur passa pour sa visite de contrôle trimestrielle. Il examina Betty, la gratifia de sourires rayonnants, répéta à plusieurs reprises qu'elle avait vraiment beaucoup de chance d'avoir sa famille autour d'elle, et, tandis que Brian le raccompagnait à sa voiture, lui dit qu'il était bien préférable pour les personnes âgées de finir leurs jours chez elles dans tous les cas où la situation le permettait. Il ne fit aucun commentaire sur le fait qu'il fumait dans la chambre d'une malade.

Brian avait dû ramasser tout un tas de prospectus dans la boîte aux lettres ainsi que le nouvel annuaire déposé devant la porte, car tout cela était empilé sur la table de la salle de séjour quand Linda arriva. Les paperasses diverses s'étaient de nouveau accumulées depuis quelques semaines, mais quand elle se mit en quête d'un sac en plastique elle constata qu'il n'en restait plus. Elle nota mentalement qu'il lui fallait penser à en acheter une nouvelle provision, et en attendant dut fourrer les draps sales et les deux chemises de nuit mouillées de Betty dans une taie d'oreiller pour les emporter à la ferme. Il n'y avait pas de soleil, le temps avait été maussade toute la journée et la météo annonçait de la pluie : aussi n'y avait-il pas de danger que la pile de papiers prît feu au contact du vase. Elle pouvait le laisser à sa place en toute sécurité.

En rentrant, Linda songea que la solution la plus simple

était d'enlever de cette table non pas les papiers, mais le vase. Pourtant, quand elle revint au cottage le lendemain, elle ne changea pas le vase de place. Confusément, elle éprouvait un sentiment étrange : il lui semblait que si elle posait ce vase sur la cheminée, par exemple, ou sur le buffet, ce serait comme si elle fermait définitivement une issue ou laissait passer une chance. De surcroît, si elle le déplaçait, il lui serait impossible de le remettre plus tard à sa place initiale : en effet alors qu'elle n'aurait naturellement aucune difficulté à expliquer à quiconque lui poserait la question pourquoi elle l'avait enlevé de la table, elle serait en revanche incapable de dire la raison pour laquelle elle l'y avait reposé ensuite. Ces pensées bizarres la mirent mal à l'aise, et elle les chassa de son esprit.

Elle acheta un paquet de cinquante grands sacs-poubelle en plastique noir. Betty déclara que c'était du vice de jeter ainsi l'argent par les fenêtres. Au temps où elle était plus jeune et en bonne santé, elle avait toujours brûlé les vieux papiers. Quant aux déchets de nourriture, aux boîtes de conserve et aux bouteilles, tout cela allait dans la poubelle puis dans la benne à ordures. Betty n'avait jamais entendu le mot « environnement ». Quand Linda, un jour de juillet particulièrement chaud, insista pour ouvrir la fenêtre de la chambre et aérer un peu, Betty s'écria qu'elle était à moitié morte de froid et que Linda voulait la tuer. Linda emporta les rideaux à la ferme pour les laver, mais n'ouvrit plus la fenêtre. Ça n'en valait pas la peine, ça faisait trop d'histoires.

Mais quand Michael, un des frères de Brian, se fiança, elle se hasarda à demander si Susan et elle prendraient soin de Betty à tour de rôle lorsque le couple serait revenu de son voyage de noces.

35

« On ne peut pas demander ça à une fille aussi jeune, dit Brian.

— Elle a vingt-huit ans, objecta Linda.

— Ah ? On ne les lui donnerait pas. »

Brian alluma la télévision et changea de sujet.

« J'ai de mauvaises nouvelles de Jeff. Sa boîte est en faillite et il se retrouve au chômage.

— Alors, peut-être qu'il pourra m'aider à m'occuper de Betty s'il n'est plus obligé d'aller travailler. »

Brian la regarda et secoua doucement la tête.

« Il est déjà bien assez déprimé. C'est très humiliant pour un homme, tu sais, d'être au chômage. Je ne pourrais pas lui suggérer une chose pareille. »

Pourquoi a-t-il besoin qu'on le lui suggère ? se demanda Linda. C'est sa mère.

Lorsqu'elle arriva au cottage à 7 h 30 le lendemain matin, le soleil était déjà haut dans le ciel, ses rayons commençaient à contourner la façade. Ils auraient pénétré dans la salle de séjour avant qu'il soit 10 heures. Linda ouvrit la boîte aux lettres, entra, posa les inévitables prospectus sur la table et apporta le courrier dans la chambre, une lettre et une carte postale. Betty ne voulut pas les regarder. Elle était trempée et le lit aussi. Linda l'aida à s'asseoir, prit les draps et la chemise mouillés et enveloppa Betty dans une couverture, car elle gémissait qu'elle était frigorifiée. Quand sa toilette fut finie et qu'elle eut enfilé une chemise de nuit propre, elle commença à parler de la fiancée de Michael. Elle était dans un de ces jours où elle articulait clairement.

« Sale petite traînée, dit-elle. Je me souviens d'elle quand elle avait quinze ans. Elle couchaillait déjà avec tout le monde. Elle a dû se faire avorter je ne sais pas combien de fois. Pour sûr, elle a l'intérieur du ventre complètement retourné après tout ça.

— Je la trouve très jolie, dit Linda. Et d'une compagnie très agréable.

— Jolie ! Il faudrait la voir au naturel. C'est toute cette peinture sur la figure et toutes ces teintures de cheveux qui ont piégé mon pauvre nigaud de fils. En tout cas, une chose est sûre : moi vivante, elle ne mettra jamais les pieds dans cette maison. »

Linda ouvrit la fenêtre de la salle de séjour. La journée promettait d'être chaude, mais une forte brise se levait. Tant mieux. Un bon courant d'air pour rafraîchir la maison serait le bienvenu. Pourquoi personne ne met-il jamais de fleurs dans ce vase ? pensa-t-elle soudain. Ça ne sert à rien, un vase sans fleurs. Il était tellement enfoui parmi les lettres, les enveloppes, les journaux et les prospectus qu'il n'avait même plus l'air d'un vase, mais d'un gros tuyau en verre s'élargissant au bout et émergeant inexplicablement d'un amas de papier surmonté d'un annuaire téléphonique.

Brian ne rendit pas visite à Betty, ce jour-là. La saison des moissons avait commencé. Quand Linda revint à 17 heures, Betty lui dit que Michael était passé. Elle montra à Linda la boîte de chocolats qu'il lui avait apportée, histoire de lui « passer de la pommade », dit-elle. Mais ce n'étaient pas quelques pralines fourrées à la liqueur qui l'avaient empêchée de lui dire ce qu'elle avait à dire au sujet de sa traînée.

Les chocolats étaient devenus mous et collants avec la chaleur. Linda dit qu'elle allait les mettre au réfrigérateur, mais Betty serra la boîte contre sa poitrine, en disant qu'elle connaissait trop bien Linda, qu'elle connaissait son faible pour les sucreries, et que si elle lui laissait emporter la boîte ailleurs que dans cette chambre elle ne la reverrait jamais. Linda fit la toilette de Betty et la changea. Alors qu'elle terminait par les pieds, lui passant de la crème entre les orteils et les talquant pour éviter la transpiration, Betty la frappa sur la tête avec le réveille-matin, la seule arme qu'elle eût à portée de main.

« Vous m'avez fait mal ! cria Betty. Vous m'avez fait mal exprès !

— Non, belle-maman, je ne l'ai pas fait exprès. Je crois que vous avez cassé votre réveil.

— Vous m'avez tordu les orteils exprès parce que je n'ai pas voulu vous donner mes chocolats. MES chocolats, le cadeau de MON fils ! »

Pendant le dîner, Brian annonça qu'il moissonnerait le grand champ derrière le cottage le lendemain. Vingt hectares de seigle : en s'y prenant de bonne heure, il espérait bien en avoir terminé vers le milieu de l'après-midi, du moins s'il n'était pas mort d'une insolation. Il aurait pu en profiter pour s'occuper de sa mère puisqu'il serait pratiquement à sa porte, mais il ne le proposa pas. Linda n'en aurait pas cru ses oreilles s'il l'avait proposé.

Le lendemain, il faisait plus chaud que jamais. Il faisait déjà chaud à 7 h 30. Linda fit la toilette de Betty et changea les draps. Elle lui prépara des corn-flakes pour son petit déjeuner, suivis d'un œuf à la coque avec des mouillettes beurrées. De son lit, Betty pouvait voir Brian dans le champ de seigle aux commandes de la moissonneuse-batteuse, et cela semblait lui procurer un immense plaisir, même si ce plaisir était mêlé de compassion.

« En voilà un qui sait ce que ça veut dire de travailler

dur, dit-elle. Capable de suer sang et eau des journées entières ! »

C'était à croire que Brian moissonnait ses vingt hectares à la faux comme au Moyen Âge et non perché sur le siège de sa machine, avec son paquet de cigarettes à sa droite, sa glacière portative pleine de boîtes de Coca-Cola à sa gauche et son walkman sur la tête, écoutant les chansons des Beatles qui lui rappelaient son adolescence.

Linda ouvrit toute grande la fenêtre de la salle de séjour. Le soleil illuminerait la pièce dans moins de deux heures. Elle arrangea la pile de papiers sur la table et posa au sommet une enveloppe décachetée de manière que le rabat frôlât le col du vase. Puis elle la déplaça. Elle se tint un moment debout, immobile, regardant la table, le tas de papiers, le vase. Un courant d'air soudain souleva un instant les feuillets les plus légers. Dans la chambre, elle entendit Betty encourager, à travers la fenêtre fermée, son fils qui faisait vrombir le moteur de sa moissonneuse-batteuse à quatre cents mètres de là :

« Alors, Brian, tu tiens bon, j'espère ? Allez, continue comme ça, mon garçon, c'est bien, et puis tu as le beau temps avec toi. »

Tendant un doigt, Linda appuya légèrement le rabat de l'enveloppe déchirée contre le col du vase. Ce fut à peine si elle le toucha. Puis elle se retourna rapidement, sortit de la pièce, de la maison, et marcha jusqu'à sa voiture.

L'incendie avait dû se déclarer aux alentours de 16 heures, le moment le plus chaud de cette chaude journée. Brian était passé voir sa mère quand il avait fini de moissonner son champ vers 15 heures. Il était resté un bref moment, regardant la télévision avec elle, puis elle avait déclaré qu'elle avait sommeil. Les gens qui s'y connaissaient dans ce genre d'accidents tombèrent d'accord pour dire qu'elle était selon toute vraisemblance morte étouffée par la fumée sans même se réveiller. C'était la raison pour laquelle elle n'avait pas téléphoné pour appeler à l'aide, bien que l'appareil fût posé sur sa table de chevet.

Un fermier qui conduisait son tracteur dans les parages avait appelé les pompiers. Mais c'étaient des pompiers volontaires, dont la caserne se trouvait à huit kilomètres, et il leur avait fallu vingt minutes pour arriver sur les lieux. À ce moment-là, Betty était morte et la moitié du cottage détruite. Personne n'avait averti Linda, on n'avait pas eu le temps. Quand elle revint à 17 heures, tout était fini et Brian et les pompiers allaient et venaient de côté et d'autre, fouillant les cendres humides avec des tiges de fer.

Le testament fut une très grande surprise. Certes, Betty avait vécu dans ce cottage pendant de nombreuses années sans lave-linge, ni lave-vaisselle, ni congélateur, et c'était Brian qui avait acheté le téléviseur en location-vente. Le lit dans lequel elle dormait était celui de son mariage, c'est-à-dire qu'il avait été neuf en 1947, le cottage n'avait jamais été repeint depuis qu'elle s'y était installée et la cuisine avait été modernisée pour la dernière fois juste après la guerre. Mais en dépit de tout cela, elle laissait une somme d'argent tellement énorme que tout le monde en fut estomaqué. Linda avait peine à y croire. Un tiers de cet argent allait à Jeff, un autre tiers à Michael et le troisième, ainsi que le cottage ou du moins ce qu'il en restait, à Brian.

La compagnie d'assurance ne fit pas de difficultés pour payer. Il était impossible de déterminer la cause exacte de l'incendie. La forte chaleur y était certainement pour quelque chose, ainsi que le toit de chaume, à moins que la vétusté de l'installation électrique ne fût à l'origine du drame. Linda, bien sûr, avait des idées plus précises sur la question, mais elle n'en dit rien. Elle garda ce qu'elle savait pour elle et le laissa couver dans sa tête, ne tardant pas à perdre complètement le sommeil et l'appétit.

Brian pleura bruyamment à l'enterrement. Les trois frères, d'ailleurs, manifestèrent leur douleur jusqu'à l'outrance et il ne se trouva personne pour conseiller à Brian de se contenir et de faire preuve d'un peu plus de dignité. Au lieu de cela, les gens le prirent par les épaules et firent tous leurs efforts pour le réconforter, en lui disant qu'il s'était toujours montré le plus parfait des fils et qu'il n'avait absolument rien à se reprocher. Linda, elle, ne pleura pas, mais peu de temps après sombra dans une terrible dépression dont rien ne put la tirer, ni les médicaments prescrits par le docteur, ni les promesses de Brian de l'emmener faire un splendide voyage, même à l'étranger si elle voulait, ni les paroles des personnes bien intentionnées qui lui répétaient que Betty n'avait pas souffert mais que c'était seulement la fumée qui lui avait fait quitter ce monde tout doucement pendant son sommeil.

Une demande de permis de construire à l'emplacement du cottage dévasté fut reçue favorablement par les autorités locales et l'autorisation officielle accordée. Pourquoi, dit Brian, n'habiteraient-ils pas la nouvelle maison qu'il avait décidé d'y faire bâtir, Linda, les enfants et lui ? La ferme était ancienne et malcommode, difficile d'entretien pour une maîtresse de maison, mais c'était exactement le genre de bâtisse que beaucoup de Londoniens aimeraient acheter comme résidence secondaire. Alors,

41

pourquoi ne pas emménager dans une maison moderne, proposa-t-il à Linda, avec tout le confort dont tu auras envie, deux salles de bains, par exemple, et une buanderie bien équipée, et une véranda où tu pourrais te reposer au milieu des plantes vertes ? Dessine-la toi-même et ne te soucie pas du prix, ajouta-t-il avec insistance, car il se faisait beaucoup de souci pour sa femme qui avait toujours été très active et efficace en même temps que facile à vivre et conciliante, mais n'était plus à présent qu'une pauvre créature silencieuse et prostrée.

Linda refusa. Elle ne voulait pas d'une nouvelle maison, et surtout pas à l'emplacement du cottage. Elle n'avait pas non plus envie de partir en voyage ni d'aller à Londres pour s'acheter une belle garde-robe. Elle ne voulait pas entendre parler de profiter de l'argent qu'avait laissé Betty. La dépression l'avait obligée à abandonner son travail à la mairie, mais, bien qu'elle restât à la ferme toute la journée et n'eût plus à s'occuper d'une vieille femme impotente matin et soir, elle ne faisait rien dans la maison et Brian se vit forcé d'engager une femme de ménage.

« Elle devait aimer maman beaucoup plus que je ne croyais, dit un jour Brian à son frère Michael. Elle n'a jamais été du genre à épancher ses sentiments, mais c'est la seule explication. Elle était sûrement beaucoup plus attachée à maman que je ne m'imaginais.

— Ou alors, elle se sent coupable, dit Michael, dont la fiancée avait une sœur aînée mariée à un homme dont le cousin germain était neuropsychiatre.

— Coupable ? Tu plaisantes ! Quelle raison aurait-elle de se sentir coupable ? Elle n'aurait pas pu être plus dévouée pour maman même si ç'avait été sa propre mère.

— Oui, mais les gens se sentent souvent coupables à propos de rien quand quelqu'un meurt. C'est une réaction psychologique bien connue.

— Ah oui ? Alors c'est de cela qu'il s'agit, docteur ? Eh bien, laisse-moi de te dire une chose. S'il y a une personne qui aurait des raisons de se sentir coupable, c'est moi. Je n'en ai jamais soufflé mot à qui que ce soit. Je ne pouvais pas, tu comprends, parce que si cette histoire s'était sue, adieu l'assurance ! Mais la vérité, c'est que c'est moi qui ai provoqué cet incendie.

— Quoi ? s'écrira Michael, horrifié.

— Pas volontairement, bien sûr. Qu'est-ce que tu vas penser, toi, mon propre frère ? N'empêche que si la maison a flambé, c'est bel et bien à cause de moi. Ce n'est pas pour ça que je me sens coupable, pas une seconde. On sait très bien qu'il se produit tous les jours des accidents et que personne n'y peut rien. Mais quand je suis passé voir maman cet après-midi là, je n'ai pas trouvé le cendrier. Linda avait dû le laver et le ranger quelque part. Alors, j'ai posé ma cigarette allumée sur le rebord de la commode, en laissant dépasser le bout, comme on fait si souvent quand on n'a pas de cendrier. Puis j'ai vu que maman s'endormait et je suis sorti sur la pointe des pieds, en oubliant cette fichue cigarette qui continuait à brûler. Je suis reparti sans regarder derrière moi. »

Abasourdi, Michael demanda d'une petite voix :

« Et... et quand as-tu compris ce qui s'était passé ?

— Aussitôt que j'ai vu la fumée et que j'ai entendu la sirène des pompiers. Mais c'était déjà trop tard, bien sûr. Un simple moment de distraction. J'étais parti sans regarder derrière moi. »

Bon voisinage

ELLE NE CONNAISSAIT pas encore la maison, et à peine les gens qui l'habitaient. Ils lui avaient confié une clef, comme tous les autres. Angela était chargée de donner à manger au chat et d'arroser le caoutchouc. Quand ce fut fait, elle monta à l'étage, se sentant tout émoustillée, et entra dans la plus grande chambre, celle où elle supposait qu'ils dormaient.

Ils avaient laissé la pièce très en ordre : le lit était fait, le couvre-lit bien tiré et sans le moindre pli, et tout était parfaitement rangé sur les deux tables de chevet et le dessus de la coiffeuse. Elle ouvrit les placards et jeta un coup d'œil à leur garde-robe. Puis elle examina le contenu des tiroirs de la coiffeuse. Un coffret à bijoux, des foulards, des mouchoirs brodés à l'ancienne comme plus personne n'en utilisait. Un des tiroirs était plein de crèmes de beauté et de produits de maquillage. Dans le dernier, elle trouva une liasse de lettres attachées ensemble par un ruban rose. Angela dénoua le ruban et lut attentivement chacune des lettres. C'était Nigel qui les avait écrites à Maria, le couple qui habitait depuis peu la maison : des lettres d'amour datant du temps où ils étaient fiancés, pleines de mots doux, de petits surnoms tendres, de phrases plus osées où il lui promettait de lui faire ceci et cela la prochaine fois qu'ils se rencontreraient et lui parlait de ce qu'il aimerait qu'elle lui fît en retour.

Elle prit son temps pour les lire toutes une seconde fois, avant de renouer le ruban et de les replacer soigneusement dans le tiroir. Les lettres étaient toujours une heureuse surprise, elle n'en trouvait que rarement lorsqu'elle explorait les maisons de ses voisins. Les lettres, comme tant d'autres choses, étaient passées de mode. Elle redescendit au rez-de-chaussée, se répétant à voix basse quelques-unes des phrases que Nigel avait écrites, les savourant comme des friandises.

Dans la rue où elle habitait, Angela était très demandée comme baby-sitter, promeneuse de chiens, nourrisseuse de chats, arroseuse de plantes et, d'une manière générale, responsable de toutes sortes de petites tâches dans les maisons des uns et des autres. Ses clients, comme elle les appelait, avaient en elle une confiance absolue et estimaient n'avoir rien à craindre en lui laissant leurs clefs. Aucun d'entre eux n'avait jamais soupçonné qu'elle passait leurs maisons au peigne fin quand elle s'y trouvait seule. Après tout, il ne serait jamais venu à l'esprit de Peter et Louise de placer des cheveux sur les poignées de leurs tiroirs. Gladys n'aurait jamais su comment s'y prendre pour repérer des empreintes digitales sur les objets. Miriam et George n'étaient pas des gens très observateurs. Mais, surtout, ils lui faisaient tous confiance.

Angela habitait seule dans la maison qui avait été jadis celle de ses parents, et passait un week-end par mois chez une tante dans un village des Cotswolds, où sa principale distraction était de se rendre à l'église méthodiste le dimanche matin. Elle travaillait dans la succursale d'une banque à deux kilomètres de chez elle. Une fois par an, avec une autre célibataire dont elle avait fait la connaissance à son travail, elle partait pour deux semaines de vacances au bord de la mer, à Torquay ou à Bournemouth. Elle n'avait jamais fréquenté un homme. Du reste, elle ne rencontrait jamais d'hommes, excepté ceux qui habitaient sa rue et qui étaient tous mariés ou vivaient maritalement. Elle n'avait pas vraiment d'amis. Elle tricotait, lisait beaucoup et dormait dix heures par nuit.

Quelquefois, elle se demandait comment elle en était arrivée à vivre ainsi, pourquoi sa vie n'avait pas suivi le même chemin que celle des autres femmes, pourquoi elle n'avait été jalonnée par aucune aventure, ni même aucun événement marquant. Mais elle n'avait pas de réponse à ces questions. C'était comme ça, voilà tout. Son mode d'existence s'était formé progressivement, sans qu'elle pût imaginer d'alternatives, ou sût comment arrêter son inexorable évolution vers ce qu'il était devenu. Du moins, jusqu'au jour où Humphrey lui avait demandé, moyennant une petite rétribution, de donner à manger à son chat pendant les quelques semaines qu'il devait passer à l'étranger : car c'était à partir de ce jour-là qu'elle avait commencé à se créer un nouveau métier.

À présent, elle avait en sa possession les clefs de onze maisons. Veiller sur ces maisons quand leurs propriétaires s'absentaient, de même que sur leurs enfants, leurs parents âgés, leurs animaux familiers et leurs plantes vertes, était devenu sa seule activité rémunérée, car par bonheur ses voisins avaient assez régulièrement besoin de ses services et se montraient assez généreux pour qu'elle eût pu se permettre de laisser tomber son fastidieux travail d'employée de banque. Les premiers temps, accomplir toutes ces petites tâches avec ponctualité et

47

efficacité et recevoir en retour, outre l'argent dont elle avait besoin pour vivre, la gratitude de tout le voisinage, avait suffi à sa satisfaction. La conscience qu'elle avait de la dépendance de ses voisins par rapport à elle lui procurait beaucoup de plaisir. Elle leur était peu à peu devenue indispensable, et elle s'en réjouissait. Mais après quelques mois, elle avait commencé à s'ennuyer lorsqu'elle restait assise dans le salon de John et Julia pendant que leur bébé dormait au premier. Elle avait ressenti de la frustration chaque fois qu'elle refermait la porte de la maison de Humphrey après avoir donné à manger au chat et changé sa litière. Il devait y avoir d'autres agréments à tirer de cette activité de factotum, mais lesquels ? Un soir où le bébé de Diana s'était mis à pleurer et qu'elle était montée pour le calmer, ses pas, comme indépendamment de sa volonté, l'avaient entraînée au bout du couloir, dans la chambre des parents. Et c'est ainsi que tout avait commencé.

Le contenu des placards et des tiroirs, les relevés bancaires et les factures, le journal intime de Louise (qui était sa plus précieuse trouvaille), les dossiers de Kenneth, les diplômes de Miriam, les prospectus de Peter, les photos de vacances de Diana, tout cela lui enseignait ce qu'était la vie. Que ce fût la vie des autres et non la sienne ne la dérangeait pas vraiment. Elle s'instruisait. Ces moments où elle cherchait et fouillait pour découvrir des informations nouvelles, des additions à ce qu'elle avait déjà examiné, des compléments à ce qu'elle avait déjà appris, justifiaient qu'elle se préparât à des plaisirs futurs, qu'elle attendît sans cesse quelque chose de l'avenir. Son existence ne lui avait jusque-là guère donné de raisons de penser à l'avenir — ni, d'ailleurs, au passé.

Nigel, le voisin qui avait écrit les lettres d'amour, avait récemment emménagé dans la grande maison blanche qui était séparée de la sienne par quatre autres. Angela lui avait été recommandée, à lui et à sa femme, par Rose et Kenneth, ceux de la maison d'à côté.

« Si vous n'y voyez pas d'inconvénient, le plus simple est que vous me donniez une clef, avait dit Angela. Comme je la garderai chez moi, il n'y aura aucun risque. »

Elle avait placé sa petite plaisanterie coutumière :

« Je garde toujours toutes les clefs sous clef.

— Nous sommes assez souvent obligés de nous absenter », avait dit Maria.

Et Nigel d'ajouter :

« Cela nous libérerait d'un gros souci si nous pouvions compter sur vous pour nourrir Absalon quand nous ne sommes pas là. »

Au début, Angela ne s'était adonnée à ses investigations aux domiciles de ses voisins que lorsqu'elle se trouvait sur les lieux de façon légitime, parce qu'on lui avait demandé d'être présente pour une raison bien précise. Mais au bout d'un certain temps elle s'était enhardie et entrait dans les maisons chaque fois qu'il lui en prenait fantaisie. Elle se tenait aux aguets derrière ses rideaux, attendant le moment où ils s'en iraient. De toute manière, la plupart partaient travailler le matin et ne rentraient guère avant 18 heures. C'était vrai qu'elle gardait toutes les clefs dans une sorte de petit coffre-fort, une boîte en acier pourvue d'une serrure, chacune portant une étiquette avec le nom du propriétaire. Angela demandait toujours qu'on lui confiât la clef de la porte de derrière. Elle disait que c'était plus pratique s'il y avait un animal à nourrir ou à emmener en promenade. Ce qu'elle ne disait pas, c'est qu'on risquait moins d'être vu si on pénétrait dans une maison par la porte de derrière que par la porte d'entrée donnant sur la rue.

La plus grande chambre dans la maison de Nigel et Maria avait été minutieusement explorée lors de sa première visite. Mais seulement cette chambre-là. Une fois, particulièrement avide de sensations fortes, elle avait fouillé toutes les pièces de la maison de John et Julia alors qu'elle n'avait que deux heures devant elle, mais depuis elle avait appris à se refréner. Une chose, en effet, lui faisait peur : c'était de finir par connaître tous les trésors que recelait chacune des demeures dont elle avait la clef, de mettre à nu tous leurs secrets, et d'épuiser ses mines d'or au point de n'avoir plus rien à en extraire. C'est pourquoi elle avait gardé le secrétaire dans le salon de Maria pour une autre fois, même si cela lui avait demandé un effort presque surhumain de contempler depuis le seuil de la pièce ce secrétaire avec tous ses tiroirs, vierge pour ainsi dire, inviolé. Mais elle n'y avait pas touché, non plus qu'aux placards et aux fichiers sûrement fertiles en découvertes dans la troisième chambre, celle qu'ils avaient transformée en bureau.

Un soir, Maria partit. Nigel dit à Angela qu'elle était à l'étranger et qu'il la rejoindrait dans deux ou trois jours. Elle remarqua qu'il ne se rendait pas à son travail, supposa donc qu'il comptait rejoindre sa femme pour des vacances, et s'attendit à ce qu'il vînt sonner à sa porte pour lui demander de nourrir Absalon et changer sa litière en attendant leur retour. Mais il ne vint pas. C'était une période où les journées d'Angela étaient particulièrement remplies : elle surveillait les enfants de Peter et Louise, conduisait la vieille mère de Gladys à l'hôpital de jour et allait la rechercher le soir, sans compter diverses tâches plus ponctuelles, comme attendre le plombier et l'employé du gaz chez Miriam et George ou emmener le chat de Humphrey chez le vétérinaire, mais cela ne l'empêcha pas d'être intriguée. Pourquoi Nigel ne lui demandait-il pas de s'occuper d'Absalon ?

En rentrant chez elle après avoir arrosé les pépéronias de Julia, elle tomba sur Nigel qui déverrouillait la portière de sa voiture. Il portait Absalon sous son bras, dans un panier en osier.

« Vous partez ce soir ? demanda Angela, pleine d'espoir.

— Oui, je vais retrouver Maria. Cette fois, nous avons décidé d'emmener Absalon avec nous, donc nous n'aurons pas besoin de compter sur votre obligeance. D'ailleurs, je suppose que vous avez déjà beaucoup à faire. »

Pensant avec délectation à la soirée qui l'attendait, Angela répondit par l'affirmative. Elle était presque aussi excitée que le jour où elle avait commencé à lire le journal intime de Louise.

Prudemment, elle laissa passer une heure après avoir vu la voiture de Nigel s'éloigner. Puis elle prit la clef dans la boîte en acier et entra discrètement dans la maison. Elle passa deux heures fort réjouissantes à fouiller l'un après l'autre les tiroirs du secrétaire dans le salon, et bien qu'elle ne découvrît pas d'autres missives énamourées, il s'avéra que parmi une foule de feuillets griffonnés, illisibles et qu'elle laissa de côté, le meuble recelait une petite moisson de choses extrêmement intéressantes, dont plusieurs mises en demeure de payer avant poursuites judiciaires concernant des factures d'un montant assez

51

considérable, un billet signé de George qui se plaignait sur un ton fort coléreux des dégâts que faisait Absalon dans son jardin, et, surtout, joyau entre tous les joyaux, une lettre anonyme.

La lettre était écrite en capitales d'imprimerie, à l'encre noire, et laissait entendre que Maria avait une liaison avec un nommé William. Angela réfléchit et se demanda ce qu'on pouvait bien ressentir lorsqu'on avait une liaison tout en étant mariée. Puis elle se demanda, plus généralement, quel effet cela pouvait bien faire à une femme d'être mariée, et enfin, relisant attentivement la lettre, si c'était l'épouse de ce William qui l'avait écrite et envoyée à Nigel, ou sa maîtresse peut-être. Elle replaça les différents documents dans le secrétaire exactement comme elle les avait trouvés, en prenant grand soin de ne rien changer au désordre de ces tiroirs remplis de paperasses.

Elle décida de garder les pièces du haut pour le lendemain, qui était un vendredi. Elle comptait partir pour son week-end mensuel chez sa tante Elspeth dans la soirée, mais auparavant elle avait promis de faire faire leurs deux promenades quotidiennes aux fox-terriers de Gladys, la première le matin et la deuxième en fin d'après-midi, d'aller chercher la mère de Gladys à l'hôpital, d'ouvrir la porte de la maison de Rose et Kenneth à l'électricien et d'attendre la fillette de Louise à la sortie de l'école. Elle aurait deux heures de battement entre l'hôpital et le moment d'aller chercher la petite Alexandra. Prenant garde de n'être pas vue par l'électricien, qui installait une nouvelle prise dans la véranda derrière la maison de Rose et Kenneth, ses voisins immédiats, Angela entra de nouveau chez Nigel et Maria.

Pendant la nuit, elle s'était sentie un peu inquiète au sujet de ce secrétaire, et la première chose qu'elle fit fut de vérifier qu'elle avait tout remis parfaitement à sa place. Un examen rapide la rassura, en lui confirmant qu'elle avait très adroitement reproduit le désordre initial des tiroirs. Puis elle monta au premier et emprunta le couloir qui conduisait à la petite chambre transformée en bureau. Même si elle n'oubliait pas la jubilation qu'elle avait ressentie en se plongeant dans le journal de Louise, la maison de Nigel et Maria promettait d'offrir à sa curiosité la plus riche collection de trésors qu'elle eût jamais découverte jusqu'à présent. Une fois poussée cette porte, qui pouvait dire sur quelles merveilles elle tomberait en explorant les placards et les fichiers ? Encore des lettres d'amour, peut-être, mais cette fois écrites par Maria à Nigel, d'autres insinuations concernant les infidélités de Maria, d'autres factures impayées, et — pourquoi pas ? — la preuve que l'un ou l'autre s'était rendu coupable d'actes illicites, voire criminels...

Angela ouvrit la porte. Elle fit un pas à l'intérieur de la pièce, puis un pas en arrière, poussant un petit cri qu'elle n'eut pas le temps de réprimer. Maria gisait sur le sol, en chemise de nuit, ses longs cheveux dénoués et répandus autour de sa tête. Il y avait une grande tache brune qui devait être du sang sur le devant de la chemise de nuit, et la flaque de liquide noirâtre et à demi séché dans laquelle elle gisait était bien du sang, cela ne faisait aucun doute. Angela resta debout, immobile, la main devant la bouche pendant ce qui lui parut un temps très long. Elle se força à s'approcher de Maria et à la toucher. Ce fut son front, blanc comme le marbre, vers lequel elle tendit la main. Le bout de ses doigts rencontra une froideur glaciale et elle se recula avec un frisson. Les yeux morts de Maria la regardaient, ronds et bleus comme de grosses billes d'agate.

Angela quitta la pièce et dévala l'escalier. Elle tremblait de tous ses membres. Elle ressortit par la porte de derrière, tourna la clef dans la serrure et la glissa prestement dans la boîte aux lettres près de l'entrée. Pour elle ne savait quelle raison, il lui semblait essentiel de n'avoir pas cette clef en sa possession.

Elle rentra chez elle, entassa précipitamment des vêtements de rechange dans une petite valise, saisit ses clefs de voiture. Oubliée, Alexandra qui attendrait devant le portail de l'école, oubliés les fox-terriers de Gladys. Angela monta dans sa voiture et démarra. Elle rejoignit la nationale en direction du nord et, au bout de trois minutes, elle avait déjà largement dépassé la limitation de vitesse. Cette fois-ci, elle resterait au moins quinze jours chez tante Elspeth, se dit-elle. Peut-être même ne reviendrait-elle jamais. Si c'était cela la vie, ils pouvaient la garder. C'était aussi la mort.

Seuils de tolérance

« Ne te gratte pas. Maintenant, tu saignes.

— Ça me démange ! Il y a de quoi devenir enragé. Tu ne peux pas comprendre, tu ne réagis pas aux piqûres de moustiques aussi fort que moi.

— C'est parce que tu as été piqué juste à l'endroit où la ceinture de ton jean frotte la peau. Il vaut mieux que je te mette un pansement.

— Ils sont dans l'armoire à pharmacie, dit-il.

— Je sais. »

Elle retira le petit pansement de son enveloppe en plastique et l'appliqua en bas de son dos. Il tendit la main vers son paquet de cigarettes, en prit une et l'alluma.

« Je me demande si tu fais une allergie aux piqûres de moustiques, dit-elle. Tu devrais peut-être utiliser un antihistaminique quand tu te fais piquer. Tu sais, tu devrais essayer un de ces aérosols qui calment les démangeaisons.

— Ils sont complètement inefficaces.

— Comment peux-tu le savoir si tu n'essaies pas ? En plus, je suis sûre que le tabac ne fait qu'empirer les choses. Oui, oui, je sais que c'est une idée qui doit te sembler ridicule, mais fumer a toutes sortes d'effets nocifs sur l'état général. C'est bien connu. Je parie que tu

55

n'as même pas parlé de toutes ces allergies au médecin qui t'a examiné le mois dernier, quand tu as souscrit cette assurance-vie.

— Qu'est-ce que tu racontes, "toutes ces allergies" ? Je n'ai pas d'allergies. Je réagis très fort aux piqûres de moustiques, un point c'est tout.

— Je parie que tu n'as même pas dit que tu fumais.

— Bien sûr que si, je l'ai dit. On ne fait pas l'idiot quand on souscrit une assurance-vie pour cent mille livres. »

Il alluma une cigarette avec le mégot de la précédente.

« Pourquoi crois-tu qu'ils me font payer des primes aussi élevées ?

— Je suis sûre que tu ne leur as pas dit que tu fumais deux paquets par jour.

— J'ai dit que, malheureusement, j'étais un gros fumeur.

— Quand vas-tu te décider à arrêter ? demanda-t-elle. Si j'avais touché cent livres chaque fois que je t'ai posé cette question, je serais millionnaire à l'heure qu'il est. Je serais millionnaire même si je n'avais touché qu'une livre à chaque fois. Vous autres, fumeurs, vous ne savez pas ce que c'est que de vivre en permanence dans un nuage de tabac quand on ne fume pas. Vous ne sentez pas l'odeur que vous transportez avec vous, sur vos vêtements, sur vos mains, sur tout. Ça imprègne les rideaux, ça imprègne le tissu des fauteuils et des canapés. Oh, tu peux rire tant que tu veux, mais ce n'est pas drôle, figure-toi.

— Je vais me coucher », dit-il.

Le lendemain matin, elle prit une douche et se lava les cheveux. Elle prépara une tasse de thé et la lui apporta. Il resta au lit, le dos appuyé contre les oreillers, et alluma une cigarette qu'il fuma en buvant son thé. Puis il se leva et alla prendre une douche à son tour.

« Et lave-toi les cheveux, lui lança-t-elle. Ils puent le tabac. »

Il revint dans la chambre, une serviette nouée autour de la taille.

« Le pansement s'est décollé.

— Eh bien, je vais t'en mettre un autre. »

Elle sortit un autre pansement de son emballage.

« Est-ce que ça saigne ?

— Bien sûr que ça saigne quand tu te grattes. Arrête de bouger, sinon je n'y arriverai jamais.

— Normalement, ça ne devrait plus démanger au bout d'un jour ou deux, tu ne crois pas ?

— Je te l'ai dit, tu aurais dû utiliser un spray contre les allergies. Ou prendre des pilules anti-histaminiques. Maintenant, tu as un gros bouton tout tuméfié dans le dos. Il va falloir que tu gardes un pansement pendant au moins quarante-huit heures.

— Puisque tu le dis. »

Il alluma une cigarette.

Le soir, ils mangèrent sur la terrasse. Il faisait très doux. Il allumait cigarette sur cigarette dans l'espoir que la fumée éloignerait les moustiques.

« Toutes les excuses sont bonnes ! dit-elle.

— Une de ces sales bêtes vient de me piquer sous l'aisselle.

— C'est une vraie calamité ! Au moins, ne te gratte pas cette fois-ci.

— Tu crois vraiment que j'aurais dû dire au type de l'assurance que j'étais allergique aux piqûres de moustiques ?

— Je ne crois pas que ça ait tellement d'importance, dit-elle. Comment veux-tu qu'on s'en aperçoive une fois que tu seras mort ?

— Merci beaucoup !

— Oh, ne sois pas bête. Il y a beaucoup plus de risques que tu meures d'avoir trop fumé que d'une piqûre de moustique. »

Avant qu'ils se missent au lit, elle changea le pansement dans son dos, et, comme il s'était gratté à l'endroit de la nouvelle piqûre, lui en tendit un autre. Il pouvait poser celui-là tout seul. Pendant la nuit, il fut obligé de se lever : les démangeaisons étaient tellement insupportables qu'il n'arrivait pas à tenir en place. Il se promena dans la maison en fumant. Le matin venu, il lui dit qu'il ne se sentait pas bien.

« Rien d'étonnant, si tu n'as pas dormi.

— J'ai trouvé un paquet de patches à la nicotine dans la cuisine, dit-il. Ça s'appelle Nicorella, quelque chose comme ça. Je suppose que c'est ta dernière trouvaille pour m'empêcher de fumer ? »

Elle se tut quelques instants. Puis elle leva les yeux vers lui :

« Alors, tu vas essayer ?

— Non, merci beaucoup. Tu as dépensé ton argent pour rien. Sais-tu ce qu'il y a d'écrit sur la boîte ? *Pendant la durée d'utilisation, fumer présente de graves dangers*. Qu'est-ce que tu penses de ça ?

— C'est l'évidence même.

— L'évidence même ? Et pourquoi ?

— Tu risquerais d'avoir une crise cardiaque, voilà pourquoi. Entre les patches et les cigarettes, tu aurais un taux de nicotine dans le sang qui dépasserait le seuil de tolérance et ton cœur ne pourrait pas le supporter.

— "Qui dépasserait le seuil de tolérance" ! On dirait un ministre de la Santé parlant à la télé.

— Le but, poursuivit-elle imperturbablement, est de cesser de fumer grâce à la pose du patch. C'est très précisément à ça qu'il sert. Il te donne assez de nicotine pour que tu ne ressentes pas de manque, mais sans que tu éprouves le besoin de fumer.

— Moi, je suis sûr qu'il ne m'en donnerait pas assez.

— Effectivement, au point où tu en es, j'ai bien peur que non », dit-elle avec un demi-sourire.

Il alluma une cigarette.

« Je vais prendre une douche. Tu veux bien me changer mes pansements quand j'aurai fini ?

— Bien sûr », dit-elle.

Les capuchons de la mort

J'AIME celle que j'aime avec ps parce qu'elle est psychagogue. Je la hais avec ps parce qu'elle est psilotique. Je lui fais manger des psalliotes et des psilotacées. Elle joue du psaltérion en lisant son psautier.

Excusez-moi. Il arrive parfois que je me laisse entraîner par la pure séduction des mots, surtout les mots d'origine grecque qui commencent par une association de consonnes bizarre pour l'oreille. J'aime celle que j'aime avec cn parce qu'elle est si belle dans ses cnémides... Mais non. Revenons-en aux psalliotes. Si vous voulez connaître le sens des autres mots que j'ai employés, il vous suffit de vous référer à n'importe quel bon dictionnaire. Les psalliotes, quant à eux, ne sont ni plus ni moins que l'espèce la plus commune de champignon, autrement appelée champignon de couche ou champignon de Paris. *Psalliota campestris,* pour être précis.

Je n'ai commencé à m'intéresser aux champignons que récemment. Depuis que je suis au chômage, mes journées sont naturellement beaucoup moins occupées, j'ai tout mon temps pour faire attention à des tas de choses qui m'auraient échappé auparavant. C'est le meilleur moyen de ne pas broyer du noir. Le fait que cette année a été exceptionnelle par l'abondance de champignons m'est apparu pour la première fois un jour où j'ai pris le train pour aller voir ma femme. Une voiture est malheureusement un luxe que je ne peux plus me permettre. De la fenêtre de mon compartiment, j'ai remarqué que les prés étaient tout parsemés de protubérances blanchâtres parmi les touffes d'herbe. Il ne m'a pas fallu bien longtemps pour comprendre que c'étaient des champignons, mais je dois avouer que je n'avais jamais rien vu de pareil.

De retour chez moi ce soir-là, j'ai minutieusement exploré mon jardin. Comme je me contente de tondre de temps en temps la pelouse, il est très négligé depuis qu'on m'a volé ma femme il y a dix ans. La nature y a repris ses droits d'une manière plutôt plaisante. Par exemple, la plupart des arbustes d'ornement qu'elle y avait plantés se sont transformés en arbres. Au pied de ces arbres, et dans des coins humides et moussus contre les murs, j'ai découvert une grande variété de champignons : des coulemelles, des oronges, des pleurotes, des vesses-de-loup. Ces noms, bien sûr, ne m'étaient pas familiers alors. Mais deux ou trois livres et une cassette vidéo sur le sujet m'ont appris les rudiments de ce qui pourrait bien devenir la passion de ma vie.

Pour ma part, je n'aime pas beaucoup les champignons en tant qu'aliment. Ma femme, elle, les adorait. Mais à l'époque (je ne dirai pas quand je l'ai vue pour la dernière fois, puisque je persiste à aller régulièrement la *voir*, mais la dernière fois où je lui ai parlé), les seuls champignons qu'on trouvait facilement chez les commerçants étaient les champignons de couche ordinaires, et on ne pouvait choisir qu'entre les gros et les petits. Depuis, les choses ont changé. Dans le premier supermarché venu, on peut acheter des barquettes dites de « champignons assortis », enveloppées de cellophane, et qui, aux yeux des non-initiés, ne contiennent effectivement qu'un assortiment indistinct de champignons le plus souvent coupés en morceaux ; mais moi, je suis capable de distinguer les lactaires délicieux des chanterelles, les cèpes des morilles parmi les pâles fragments semblables à des lambeaux de chair exsangue, les languettes jaunes et fibreuses, les petits chapeaux ronds au dessous glutineux, les tiges élastiques et marron comme du chocolat. Que voulez-vous, chacun ses centres d'intérêt.

Le jour où je suis tombé sur une amanite phalloïde dans mon jardin, dans l'herbe mouillée au pied du vieux chêne, je venais justement de voir ma femme pour la première fois depuis plusieurs semaines. Vous comprendrez facilement que même si je pense à elle tous les jours, si je me rends fréquemment dans la ville où elle habite à une trentaine de kilomètres d'ici pour observer sa maison et arpenter le centre commercial où je sais qu'elle fait ses courses, je ne réussis pas toujours à la voir. Inutile de vous dire que, de son côté, elle ne me voit jamais. Mais cette fois-là, invisible parmi les présentoirs de vêtements de sport, je l'ai aperçue à distance du côté des produits alimentaires, en train de se diriger vers le rayon des fruits et légumes. Je n'exagère pas si je vous dis que mon cœur a fait un bond dans ma poitrine. Même après tant d'années, c'est toujours un choc.

Je l'ai observée depuis ma cachette vestimentaire. J'étais trop loin pour voir ce qu'elle achetait, mais je l'ai suivie des yeux tandis qu'elle poussait son caddie des fruits et légumes aux surgelés, des épices aux eaux minérales, puis vers la caisse. Ce soir-là, je me suis repassé ma vidéo. Jaunes et blanches, avec leurs pieds blafards et leurs chapeaux aux bords déchiquetés, les amanites phalloïdes s'épanouissaient sur l'écran dans toute leur gloire mortifère. Les « capuchons de la mort », comme le commentateur expliquait qu'on les surnommait jadis dans les campagnes, en précisant d'une voix joyeuse que l'ingestion de très petites quantités suffisait à provoquer la mort dans d'atroces souffrances.

Si je faisais pousser du cannabis dans mon jardin, j'enfreindrais la loi. La police viendrait, arracherait tous mes plants, les détruirait et je me retrouverais en correctionnelle. Mais cultiver des amanites phalloïdes, le plus dangereux de tous les champignons qu'on trouve sous nos climats, n'est pas un délit. Si je voulais, je pourrais en toute impunité transformer mes douze mille mètres carrés plus ou moins en friche en une plantation de capuchons de la mort. Si seulement je le pouvais ! Mais voilà : les champignons sont capricieux, imprévisibles, il n'est pas de végétaux plus rétifs et qui donnent plus de fil à retordre. Qui n'a entendu parler de ces fermiers qui, ayant décidé de se reconvertir dans la culture des champignons, achètent tout l'équipement voulu, suivent à la lettre toutes les instructions des experts, et dont les champignonnières restent désespérément stériles alors qu'ils voient le *psalliota campestris* croître et multiplier à leur nez et à leur barbe dans les prés et les sous-bois à l'extérieur de leur propriété ?

Je dois donc me contenter de ce que la nature veut bien me concéder, l'encourageant seulement par des moyens rudimentaires tels que l'aménagement de recoins ombreux et humides soigneusement entretenus et protégés. C'est en octobre que j'ai recueilli le premier fruit de ces efforts hasardeux et que les premières pousses sont sorties de terre. Alors, j'ai eu le bonheur de voir le voile neigeux qui les enveloppait éclater pour laisser se déployer leurs couronnes d'un beau jaune olivâtre. La chair, dit un de mes livres, est blanche et dégage une odeur de pomme de terre crue. Quel plaisir de découvrir que c'était bien le cas et que je n'avais pas confondu les amanites phalloïdes avec, par exemple, des xérules (j'aime celle que j'aime avec x parce qu'elle est xénophile, je la hais avec x parce qu'elle est xylophage).

Prenant bien soin de ne pas toucher la précieuse chair avec mes mains et me servant d'une fourchette et d'un couteau, j'ai découpé trois spécimens en tranches fines, ce qui était assez pour remplir un gros pot à yaourt. Les yeux fermés, j'ai revu en esprit ma femme devant la table de la cuisine, je me suis rappelé sa façon de préparer les champignons en les faisant revenir dans l'huile, son plaisir quand elle les savourait, son sourire gourmand. Je l'ai revue en train de couper des pommes de terre crues pour faire des frites, et je pouvais même sentir l'odeur dans ma tête.

Le lendemain, j'ai emporté le pot à yaourt avec moi et je suis allé tout droit de la gare au supermarché. Je savais que ma femme ne viendrait pas avant au moins deux heures. Mes souvenirs ne m'ont pas quitté : j'ai une mémoire fidèle, trop fidèle même, et je n'ai rien oublié de sa manière d'organiser ses journées avec un ordre et une régularité presque immuables. Cependant, j'ai attendu un moment, faisant pensivement les cent pas entre le rayon linge de maison et le rayon vaisselle. Il faut que vous sachiez une chose : jusqu'ici, à part naturellement les cassettes et les articles de journaux soigneusement choisis que je lui ai envoyés et les lettres très explicites que j'ai fait parvenir à sa famille, je n'avais pris aucune initiative concrète contre ma femme. Mais le moment était venu de passer àl'action. Plus question d'hésiter.

Avec un peu d'entraînement, cela ne prend que quelques secondes de décoller l'enveloppe de cellophane d'une barquette de champignons assortis, glisser à l'intérieur des tranches d'amanite phalloïde et refaire le paquet sans que personne puisse remarquer quoi que ce soit. Au milieu des lamelles et des petits chapeaux de couleurs variées, les minces tranches que j'avais découpées passaient totalement inaperçues. Tout au plus aurait-on pu les prendre pour de fins rubans de lactaire délicieux. Je réalisai cette opération sur une dizaine de barquettes, environ la moitié de celles qui étaient en rayon. Il y avait peu de clients à l'heure du déjeuner. Personne ne me vit, ou alors ceux ou celles qui me virent approuvèrent ma prudence en croyant que j'examinais d'abord soigneusement ce que je m'apprêtais à acheter. J'ai remarqué, par exemple, qu'en ces temps de crise économique il n'est pas rare de voir des gens goûter discrètement un grain de raisin avant de faire signe à la vendeuse.

J'ai attendu assez longtemps pour voir ma femme arriver. Mon cœur s'est mis à battre à grands coups. Si rien n'aboutit et si tout cela continue, je vais tomber raide mort d'un infarctus un de ces jours. Bien sûr, j'étais conscient qu'à supposer qu'elle achetât des champignons ce jour-là, il y avait seulement cinquante pour cent de chances pour qu'elle choisît une des barquettes mortelles. Mais à ce jeu de roulette russe culinaire, le degré de probabilité pour que je gagne mon pari est néanmoins très en ma faveur. Il n'empêche : lors de ma visite suivante, j'ai opéré sur quinze barquettes du stock renouvelé. Après tout, elle n'est pas la seule personne à prendre en considération. Il y a aussi l'immonde bellâtre dont elle partage le lit, sans compter les membres de sa tribu qui habitent tous dans les parages et dont j'aperçois souvent les visages bovins et les silhouettes obèses tandis qu'ils déambulent entre les purées de légumes et les desserts réfrigérés.

À la fin, n'ayant eu aucun écho des conséquences de mes petites manipulations, je me vis contraint de sacrifier le dernier de mes capuchons de la mort, achevant de dépouiller le terreau de feuilles mortes au pied du vieux chêne de sa merveilleuse fructification au délicat parfum de pomme de terre. Cette fois — il était un peu tard — il ne restait que quatorze barquettes de champignons assortis en rayon, et en moins de trois minutes le contenu du pot à yaourt se nichait parmi les membranes elliptoïdes et les tiges tortueuses. En fait, j'en avais à peine terminé que je la vis apparaître du côté des fruits exotiques et, mon cœur battant à tout rompre, je m'éclipsai.

Trois jours plus tard, un bref article dans le journal m'apprit que le supermarché avait retiré de la vente toutes les barquettes de champignons assortis à la suite de deux morts inexpliquées et de plusieurs cas d'intoxication sévère. Mais les noms des personnes décédées n'étaient, hélas, ni le sien, ni celui de son affreux greluchon, ni même d'un membre quelconque de son affligeante parentèle. Ainsi, quand cette petite affaire se sera tassée, que tout le monde aura oublié et que les champignons assortis retrouveront leur place dans le rayon, il me faudra recommencer à zéro l'année prochaine.

Pour l'heure, la terre autour du vieux chêne est recouverte de neige. Tous les champignons du jardin ont succombé aux gelées. Je ne dois pas oublier de marquer l'endroit où les spores de mes amanites phalloïdes sont enfouies profondément dans le sol, car cette zone ne doit en aucun cas être ratissée ou piétinée. Je suis à la recherche d'un moyen mnémotechnique pour m'en rappeler l'emplacement précis. Oh, j'aime celle que j'aime avec mn parce qu'elle est mnésique, je la hais avec mn parce qu'elle me rend mnémotaxique, son nom est Mnémosyne et c'est la déesse du souvenir...

Prêt-à-porter

« J E PRENDS celle-ci », dit-elle.

Elle avait posé la robe sur le comptoir. Dans le regard que lui lança la vendeuse, il y avait une vague lueur d'inquiétude. Alison avait prononcé ces mots d'une voix haletante, et son ton trahissait une véritable exultation. Maintenant qu'il était trop tard, elle fit un effort pour reprendre sa contenance.

« Très bien, madame, dit la vendeuse. Comment préférez-vous régler ? »

Au lieu de répondre, elle posa sa carte de crédit sur le comptoir où une autre vendeuse était en train de plier la robe dans plusieurs grandes feuilles de papier de soie. La note sortit comme une étroite volute blanche de la machine marquée AMERICAN EXPRESS et elle signa dans l'emplacement trop petit, tout en bas. Quand ce fut chose faite, elle se sentit comme toujours follement impatiente de s'en aller. S'attarder, échanger quelques politesses avec la vendeuse — « Elle vous fera beaucoup d'usage », « C'est un modèle qui peut se porter en toutes circonstances » —, était quelque chose qui la gênait. Elle avait l'impression d'être là sous un prétexte frauduleux, ou que son « moi » le plus intime allait être inévitablement

69

percé à jour. Elle sortit rapidement. Elle était heureuse, elle ressentait le frémissement familier, les vapeurs légères de l'ivresse dans sa tête, la montée d'adrénaline. Elle avait donné un sens à sa journée, elle avait acheté quelque chose.

Une fois dans la rue, elle sortit la robe de son emballage et la glissa dans sa mallette, avec le dossier préliminaire sur le projet Grimwood. De cette façon, les gens au bureau ne sauraient pas ce qu'elle avait fait. Le sac alla finir dans une poubelle et le reçu avec lui. Un taxi approchait et elle y monta. Déjà, le degré de son excitation avait commencé à baisser. Quand elle franchit la porte du cabinet de consultants en relations publiques dont elle était la directrice, elle s'était complètement dissipée. Elle sourit et dit à son assistante que le déjeuner avait duré plus longtemps que prévu.

En rentrant chez elle, elle fit un autre achat. Elle n'en avait pas eu l'intention au préalable, mais cela allait sans dire car elle n'en avait jamais l'intention. C'était la faute de l'endroit où elle habitait, se disait-elle parfois, du dangereux quartier où elle habitait : Knightsbridge, le royaume des belles boutiques. Si seulement Gil et elle déménageaient, allaient s'installer quelque part à la campagne, ou dans une banlieue éloignée... Elle savait qu'ils ne le feraient jamais.

Elle aurait dû prendre un taxi qui l'aurait déposée à sa porte et non pas le métro. C'était en grande partie à cause de la robe, car à présent elle savait qu'elle ne lui plaisait pas, elle n'en aimait ni la coupe ni la couleur, elle ne la porterait jamais, et son prix s'imprimait dans son cerveau en gros chiffres noirs. La jubilation qu'elle avait ressentie en l'achetant s'était transformée en panique. Absurdement, elle avait pris le métro par souci d'économie : le ticket ne coûtait que quatre-vingt-dix pence alors qu'il lui aurait fallu débourser cinq livres si elle était rentrée en taxi. Mais la conséquence était qu'il lui fallait descendre Sloane Street sur presque huit cent mètres. À 18 heures, et justement le soir où toutes les boutiques de la rue travaillaient en nocturne.

Quelquefois, Alison pensait à tout ce qu'elle aurait pu faire pendant ses heures de loisir dans une ville comme Londres. Aller revoir la National Gallery, la Wallace Collection, se promener dans les parcs, fréquenter la toute nouvelle Bibliothèque nationale de Grande-Bretagne. Au lieu de cela, elle faisait du shopping. Elle s'achetait des choses. Plus précisément, elle s'achetait des vêtements. À mi-chemin de la longue rue qui n'était qu'une enfilade de boutiques, son regard fut attiré par un pull en cachemire dans une vitrine. La sensation était familière : la bouche qui devenait sèche, le léger essoufflement, les mots qui se répétaient dans sa tête : je le veux, je le veux. Dans ces cas-là, il lui semblait prévoir le futur avec une telle clarté ! Elle avait l'impression de vivre par avance le regret qui la tourmenterait si elle ne prenait pas possession de l'objet en question, quel qu'il fût. En revanche, le remords qui l'assaillait immanquablement après qu'elle en avait effectivement pris possession était oublié.

La poignée de la porte était une grosse boule de verre sertie d'un large anneau de cuivre. Elle posa la main sur cette poignée. Un instant, elle s'immobilisa. Mais cela n'avait rien d'inhabituel. Tout en hésitant sur le seuil, elle se disait que si elle achetait ce pull, c'était parce qu'elle avait commis une erreur avec la robe. Elle n'aimait pas cette robe, mais le pull serait une compensation. Elle

71

tourna la poignée et la porte s'ouvrit. À l'intérieur, une femme était assise derrière une table dorée à dessus de marbre. Elle leva la tête et sourit à Alison.

« Bonsoir », dit-elle simplement.

Alison savait qu'elle ne se lèverait pas pour s'approcher d'elle et commencer à lui montrer différents modèles : ce n'était pas le genre de la boutique, et elle s'y connaissait en boutiques. Elle alla tout droit vers le présentoir où étaient suspendus sur des cintres le pull qu'elle avait repéré et plusieurs autres. La fièvre s'était déjà emparée d'elle et sa raison l'avait quittée. La sensation qu'elle éprouvait était comme la combinaison d'une excitation sexuelle et de la griserie provoquée par un alcool très fort. Quand elle en était la proie, elle cessait de penser, ou plutôt elle n'était capable de penser qu'au vêtement qu'elle avait devant elle : quel effet il ferait sur elle, à quels endroits et à quels moments elle le porterait, combien sa vie se trouverait changée si elle le possédait.

Un achat devait s'effectuer dans la hâte. C'était un des éléments de l'ivresse. Agir vite et agir impulsivement. Le sang battait à ses tempes. Elle arracha presque le pull de son cintre et le plaqua contre elle.

« Voulez-vous l'essayer ? demanda la femme.

— Je le prends », dit Alison.

Elle saisit un autre pull sur le présentoir, identique mais d'une nuance plus foncée.

« Ou plutôt, j'en prends deux. »

Elle répondit au sourire de la femme par un sourire radieux.

Quand elle eut payé et se retrouva sur le trottoir, elle regarda sa montre et vit que toute la transaction avait pris exactement sept minutes. Les deux pulls étaient trop volumineux pour tenir dans sa mallette, aussi en retira-t-elle la robe qu'elle fourra dans le grand sac en plastique noir portant le nom de la boutique en lettres argentées et contenant ses nouveaux achats. Elle commença à réfléchir à la manière dont elle s'y prendrait pour pénétrer dans l'appartement sans que Gil s'aperçût qu'elle avait fait des emplettes.

Il se pouvait qu'il ne fût pas encore arrivé. Quelquefois, c'était lui qui rentrait le premier et quelquefois c'était elle. S'il était déjà là, elle pourrait peut-être s'arranger pour se glisser dans la chambre à coucher et cacher le sac avant qu'il le vît. Dans le pire des cas, s'il voyait le sac, il penserait qu'il n'y avait qu'un vêtement à l'intérieur et non pas trois. Le frémissement se calmait, l'adrénaline était progressivement absorbée et elle prenait conscience d'autre chose : c'était la première fois qu'elle avait acheté un vêtement sans même l'essayer.

Les portes en verre de l'immeuble s'ouvrirent automatiquement pour la laisser passer, elle prit l'ascenseur et, parvenue à son étage, glissa sa clef dans la serrure et ouvrit. Impossible de dire s'il était là ou non. Elle appela : « Gil ? » et sa voix : « Je suis là », lui arrivant de la cuisine, la fit sursauter. Elle courut dans la chambre et fourra précipitamment le sac au fond de sa penderie.

Ce soir, c'était le tour de Gil de s'occuper du dîner. Elle l'avait oublié. Quand elle faisait du shopping elle oubliait tout le reste. Elle entra dans la cuisine, l'entoura câlinement de ses bras et l'embrassa. Il avait un tablier autour de la taille et une grande cuillère en bois dans la main.

« Dis-moi, demanda-t-il, est-ce que tu aimes vraiment les tomates séchées ?

73

— Les tomates séchées ? Je ne me suis jamais posé la question. Non, en fait je n'aime pas tellement ça.

— Personne n'aime ça. C'est ma grande découverte culinaire de la semaine. Les gens n'aiment pas ça mais ils prétendent tous que si, comme pour les poivrons crus. »

Gil poursuivit sur le même thème. Il lui parla d'une émission de cuisine animée par un chef célèbre sur BBC 2 et d'un soufflé qui se refusait opiniâtrement à monter. À la quatrième tentative, l'invité-cobaye que le chef avait fait venir sur le plateau — un acteur au tempérament plutôt colérique — avait saisi le récipient contenant le soufflé rebelle et l'avait renversé sur la tête d'un membre de l'équipe technique. Alison écouta, rit aux bons moments et lui expliqua les éléments récents qui étaient venus compliquer le projet Grimwood. Il lui dit qu'il l'appellerait quand le dîner serait prêt, et elle retourna dans la chambre pour se changer.

Tous les soirs, s'ils n'avaient pas projeté de sortir, elle ôtait les ensembles stricts qu'elle portait au bureau et enfilait un jean et un chandail. Paradoxalement, tous ses jeans et ses chandails étaient vieux, elle les avait depuis des années, alors que sa penderie était absolument bourrée de vêtements neufs. Il y avait à peine la place d'y faire entrer la nouvelle robe et les deux pulls en cachemire. Quand déciderait-elle de les porter ? Peut-être jamais. Peut-être que sans avoir jamais été portés, ils rejoindraient bientôt le stock d'objets divers (mais de vêtements surtout, bien sûr) dont elle remplissait plusieurs fois par an sa plus grosse valise pour les déposer au siège d'une association caritative qui les revendait au profit des nécessiteux.

Les permanents de l'association l'adoraient. Ils l'appelaient tous par son prénom, ils la connaissaient si bien.

« Vous nous apportez toujours des choses absolument superbes, Alison, disaient-ils. Une chance pour nous que vous renouveliez si souvent votre garde-robe ! Mais évidemment, ça doit être indispensable dans une profession comme la vôtre. »

Sans doute pouvaient-ils subvenir aux besoins d'un asile pour sans-abri pendant une semaine entière avec l'argent que leur rapportait la vente de ses vêtements.

C'était une dépendance maladive, c'était comme l'alcool, la drogue ou le jeu, et cela coûtait beaucoup plus cher que boire ou passer des soirées devant les machines à sous. La semaine précédente, alors qu'elle rentrait avec un nouveau sac à main jaune et un autre vert amande, Gil avait réussi à la surprendre dans le couloir de l'appartement. La surprendre. Elle avait utilisé ce mot machinalement, sans réfléchir, et surtout improprement. Car Gil était le plus gentil et le moins autoritaire des hommes, il ne lui serait jamais venu à l'idée de lui faire des reproches. Ce qu'il y avait de pis, même, c'est qu'il l'approuvait. Il lui disait que c'était son argent, qu'elle en gagnait plus que lui de toute façon, et qu'il était parfaitement normal qu'elle en fît ce qui lui plaisait. Pourquoi ne s'achèterait-elle pas des vêtements si elle en avait envie ?

Elle avait songé à tout lui dire ce jour-là, quand ils s'étaient retrouvés face à face dans le couloir et qu'elle avait ces deux sacs à main sous son bras. Elle avait songé à lui faire des aveux complets, à lui dire qu'elle avait besoin de lui parler de quelque chose de grave. Son visage se serait décomposé, il aurait aussitôt pensé ce qu'aurait pensé n'importe qui en entendant ces mots de son conjoint. Elle se serait assise sur la moquette, à ses

75

pieds — elle s'était représenté toute la scène, construisant dans sa tête un ridicule scénario —, elle lui aurait pris la main et elle lui aurait tout dit : voilà ce que je fais en permanence, je suis folle, cela me rend folle, et je suis incapable de m'arrêter. Je m'achète des vêtements sans cesse. Pas des bijoux, ni des meubles, ni des tableaux, pas des crèmes pour le visage ou les cheveux, pas même des chaussures, ou des chapeaux, ou des gants. Je m'achète des vêtements. Pour moi, une boutique de vêtements est comme un magasin de vins et liqueurs pour certains. C'est mon casino. Je ne peux pas passer devant sans m'arrêter. Si j'entre dans un grand magasin pour acheter une boîte de mouchoirs en papier ou un paquet d'enveloppes, je monte au premier étage et j'achète des vêtements.

Il aurait ri. Il aurait été heureux et soulagé de l'entendre dire qu'elle prenait plaisir à s'offrir des robes et des manteaux, et non pas, comme il l'avait craint, qu'elle avait rencontré un autre homme et se disposait à le quitter. Alors, ç'auraient été des baisers, des propos rassurants qui se seraient conclus gaiement par une phrase du genre : « Quel mal y a-t-il à ce que tu dépenses ton propre argent comme tu l'entends ? » Lui, qui était pourtant si merveilleusement compréhensif, n'aurait rien compris.

Il cria depuis la salle à manger :

« Alison ! C'est prêt. »

Il avait décidé que, en guise d'apéritif, ils prendraient un verre de vin, un vin qu'il ne connaissait pas mais dont on avait fait grand éloge au cours de l'émission de télévision dont il lui avait parlé plus tôt et qu'il avait envie d'essayer. Il leva son verre.

« Sais-tu quelle est la date aujourd'hui ? »

La date anniversaire de quelque chose, à l'évidence. Traditionnellement, c'étaient les femmes qui étaient censées se souvenir de cela, non les hommes.

« Je devrais ? Oh, mon Dieu. Je ne sais pas.

— Pas de la première fois où nous nous sommes rencontrés, dit-il. Ni même de la première fois où tu m'as invité à dîner. C'est la date de la première fois où *moi,* je t'ai invitée à dîner. Il y a exactement trois ans aujourd'hui. »

Elle chargea ses mots de toute l'émotion dont ses pensées l'avaient remplie depuis qu'elle était rentrée.

« Je t'aime. »

Gil ne savait guère quels vêtements elle possédait. Il ne regardait jamais dans sa penderie. Quelquefois, quand elle mettait l'un ou l'autre de ses nouveaux ensembles, de ses nouvelles robes, de ses nouveaux chemisiers, il lui arrivait de dire :

« C'est très joli, ce que tu portes. C'est nouveau ?

— Je l'ai depuis je ne sais pas combien de temps. Je suis sûre que tu l'as déjà vu. »

Et il la croyait. Il ne faisait pas vraiment attention aux vêtements, la manière dont les gens s'habillaient ne l'intéressait pas beaucoup. Mais quand il lui posait une question comme celle-là, elle aurait dû lui avouer la vérité. Ou quand les relevés d'American Express arrivaient. Au lieu de payer secrètement ces sommes toujours plus énormes, elle aurait dû lui dire : « Regarde ça. Voilà ce que je fais de mon argent. Voilà la preuve de ma folie et il faut que tu m'aides à guérir. »

Elle ne pouvait pas. La honte était trop forte. Elle se demandait même ce que les gens d'American Express devaient penser d'elle quand, mois après mois, ils faisaient le compte de ses dépenses et constataient qu'elle avait encore dépensé mille ou deux mille livres en vêtements. Les vendeurs écrivaient *Vêtements* dans la case prévue sur les factures et une fois elle avait pensé, stupidement, à leur demander d'écrire *Articles divers* à la place. C'était à cause de la femme qu'elle était à tous autres égards que l'humiliation était si intense : intelligente, ayant fait de hautes études, possédant un curriculum vitae de premier ordre, très recherchée pour ses compétences, arrivée au sommet de sa profession, désormais en mesure d'exiger des honoraires qui, certes, faisaient souvent ouvrir de grands yeux à ses clients potentiels mais ne les décourageaient que rarement. Et souffrant, parallèlement à tout cela, d'une folie dépensière d'un genre qui affectait généralement les petits employés ayant gagné au tiercé ou les gamines de dix-huit ans surexcitées d'avoir touché leur premier salaire.

Et ces gens-là valaient mieux qu'elle. Au moins, ils étaient francs et succombaient à leurs tentations sans en faire un secret. Certains en parlaient si ouvertement qu'ils en faisaient même un sujet de plaisanteries. Quelques mois plus tôt, elle avait accompagné une de ses clientes à Edimbourg pour une importante réunion d'affaires. Elles étaient arrivées en début d'après-midi et n'étaient reparties que le lendemain. Edimbourg n'est pas le genre de ville à laquelle on pense immédiatement comme à un paradis du shopping, compte tenu, surtout, de la foule d'autres choses véritablement passionnantes que l'on peut y faire, mais sa cliente lui avait annoncé, aussitôt qu'elles étaient montées dans un taxi en sortant de la gare, qu'elle comptait employer leurs trois heures de liberté avant la réunion à courir les boutiques.

« Je suis une obsédée du shopping, vous savez. Il n'y a rien au monde qui m'excite davantage. »

Alison avait répondu d'un ton réservé :

« Et qu'avez-vous l'intention d'acheter ?

— D'acheter ? Oh, je ne sais pas. Je le saurai quand je le verrai. »

Aussi Alison avait-elle accompagné la dame en question dans les boutiques du centre-ville, et reconnu chez elle tous les symptômes qu'elle ne connaissait que trop bien pour les avoir elle-même éprouvés maintes et maintes fois. À une exception près : cette femme n'avait pas honte, elle ne cherchait en aucune façon à déguiser la vérité.

« Je suis folle, vraiment, avait-elle dit après avoir acheté un tailleur dont elle avouait qu'il ne lui plaisait pas tant que ça. J'ai des armoires pleines à craquer de choses que je ne porte jamais. »

Et elle était partie d'un rire joyeux.

« Je suppose que vous, vous prévoyez tous vos achats avec le plus grand soin ? »

Et Alison, qui était restée en retrait pendant qu'elle achetait le tailleur, malade de désir d'acheter elle aussi quelque chose, faisant des efforts démesurés pour se contrôler, tout en la regardant avec un demi-sourire dont elle craignait à présent qu'il eût exprimé un certain dédain, avait confirmé que c'était bien le cas. Elle avait répondu en se donnant l'air d'une personne suprêmement raisonnable qui s'achetait de nouveaux vêtements seulement quand ceux qu'elle possédait étaient usés ou démodés.

Au cours de ce voyage, elle était parvenue à s'empêcher d'acheter quoi que ce soit. Mais l'énergie qu'il lui avait fallu dépenser pour s'imposer cette privation l'avait laissée épuisée. Aussi, dès son retour à Londres, elle avait sombré dans une crise de dépenses suraiguë, pareille aux terribles fringales des boulimiques. C'était ce jour-là, ou le jour suivant, qu'elle avait lu dans un journal un article très bien documenté sur les comportements compulsifs. Les désordres alimentaires, par exemple, qui n'étaient que la manifestation visible de troubles émotionnels profondément enracinés. Tout comme la passion du jeu, ou même les frénésies de dépenses. *Celui ou celle qui achète de manière compulsive,* disait l'article, *n'agit le plus souvent ainsi que pour compenser un douloureux manque affectif ou une insatisfaction générale par rapport à la vie qui est la sienne.*

Ce n'était pas vrai, à tout le moins pas dans son cas. Gil et elle s'aimaient profondément. Elle avait tout ce qu'elle pouvait désirer. Sa vie était très agréable et lui apportait toute satisfaction. Sa compulsion à acheter n'avait commencé que lorsqu'elle avait pris conscience qu'elle était riche, qu'elle gagnait beaucoup plus d'argent qu'elle n'en avait besoin, que cette coûteuse manie était dans ses moyens. Mais en réalité elle ne l'était pas, et du reste elle aurait été dans les moyens de fort peu de gens. Même le budget d'une personne exceptionnellement fortunée aurait eu grand mal à supporter en permanence une telle ponction.

La compulsion à acheter était une manière de crier au secours. C'était ce que disaient les psychologues. Mais pourquoi au secours ? Pour qu'on la guérît de sa compulsion à acheter ?

En passant devant la boutique où elle avait acheté les deux pulls en cachemire (dans un taxi, pour plus de sûreté), elle réfléchit à quelque chose qui, sur le moment, ne lui avait traversé l'esprit que de manière diffuse et momentanée. Elle avait acheté ces pulls sans les essayer. C'était comme si elle avait dit : ça m'est égal s'ils me vont ou non, ce n'est pas pour cette raison que je les prends, la seule chose qui m'importe est de les *acheter,* non de les posséder.

Son cabinet était dans la City, quartier particulièrement pauvre en boutiques. Ce qui, bien sûr, était une bénédiction, mais elle avait depuis quelques jours pris conscience de la frustration qu'elle éprouvait à cause de cette absence de vitrines remplies de vêtements, de la forme particulière de famine que ce manque suscitait en elle. Alors, dès qu'elle sortait et se retrouvait dans la rue, elle était saisie par une impulsion presque irrésistible de sauter dans un taxi et de se faire conduire dans un quartier commerçant. Pourtant, elle trouva la force de résister. Elle avait du travail, il fallait qu'elle restât à son poste, derrière son bureau avec ses quatre téléphones et le fax à portée de main. Mais les jours passant, les longues journées sans boutiques, elle avait commencé de penser que tout se déroulerait normalement la prochaine fois où elle aurait l'occasion de faire un peu de shopping, qu'elle ne se comporterait pas de manière maladive ou névrotique, puisqu'elle avait tenu bon si longtemps, toute une semaine...

Arriva un soir de pluie où elle ne put trouver de taxi pour rentrer chez elle. Elle prit donc le métro et, en sortant de la station Knightsbridge, de nouveau elle chercha prudemment un taxi qui la déposerait à sa porte, huit cents mètres plus loin. Il lui était tout à fait possible de parvenir jusqu'à son immeuble en empruntant les petites rues résidentielles du quartier. Elle avait le choix entre plusieurs itinéraires, et c'était une des parties les plus charmantes du centre de Londres, même par temps de pluie. Mais les crises compulsives commençaient avant qu'elle fût arrivée dans les zones commerçantes, elle le savait maintenant, et c'est ce qui conduisit ses pas vers Sloane Street alors qu'elle aurait pu si facilement rentrer en passant par Seville Street et Lowndes Square.

Les pensées qui la traversaient étaient étranges. Elle-même se rendait parfaitement compte qu'elles étaient étranges. Folles, peut-être. Elle pensait que si elle se contrôlait ce soir, elle n'aurait plus à le faire le lendemain. Demain, après la réunion de synthèse en présence du président de la firme dont dépendait son cabinet, elle pourrait aller à Piccadilly, se faire déposer juste à l'angle de Bond Street, et si elle marchait en direction de la station de métro, alors son trajet lui ferait croiser Brook Street, puis la conduirait dans South Molton Street, et ce serait un long vagabondage dans l'une des grandes Mecques internationales du shopping, un véritable paradis, le pays de rêve des belles vitrines et des achats, le royaume de Boutiqueland...

Elle dépassa sans tourner la tête le magasin avec la poignée de verre dans un anneau de cuivre, et, alors qu'elle arrivait devant la suivante, ne pouvant s'empêcher d'apercevoir le scintillement d'une unique robe discrètement pailletée isolée dans la vitrine, elle entendit un bruit de pas derrière elle et tout à coup, elle sentit le bras de Gil qui la prenait par la taille, tandis que son autre bras lui abritait la tête sous son parapluie.

« Tu devrais l'acheter, lui dit-il en lui désignant la robe pailletée. Ça t'irait à ravir. »

Elle frissonna. Il le sentit et la regarda d'un air inquiet.

« Un styliste a marché sur ma tombe », dit-elle.

C'était le moment idéal pour lui dire qu'elle ne voulait pas acheter cette robe, et surtout lui expliquer pourquoi. Elle en fut incapable. Tout ce qu'elle éprouvait en cet instant était du ressentiment, parce qu'il l'avait rattrapée devant la boutique et que, paradoxalement, sa présence et sa suggestion aussi affectueuse qu'innocente l'avaient empêchée d'acheter la robe. Il avait joué le rôle de l'ami bien intentionné qui offre ouvertement et sans malice un double scotch à quelqu'un qui boit en secret.

Le lendemain, elle quitta l'appartement assez tard et remonta Sloane Street à pied. Elle n'avait rien à faire avant la réunion de synthèse. Elle entra dans la boutique et acheta la robe dont Gil avait dit qu'elle lui irait à ravir. Elle ne l'essaya pas et dit à la vendeuse, surprise, qu'elle était sûre que c'était sa taille. Grisée par la montée d'adrénaline, elle se dit qu'il n'y avait aucune raison pour que cet achat l'empêchât d'en faire d'autres plus tard. De toute façon, le mal était fait, pensa-t-elle, la journée était déjà jouée puisqu'elle avait acheté cette robe, et cela n'aurait donc aucun sens d'essayer de résister aujourd'hui : elle avait déjà reçu une injection préliminaire de sa drogue, elle était dans son sang. À supposer qu'il lui fût possible de se contrôler, elle ne pourrait commencer que demain. Arrivée à son cabinet, elle sortit la robe qu'elle avait cachée dans sa mallette et la fourra dans un tiroir du bureau.

La réunion se termina vers 15 h 30, mais il y avait déjà une heure, peut-être plus, qu'elle faisait seulement acte de présence. Une fois conclue sa propre intervention, tout cela avait cessé de l'intéresser et elle avait laissé ses pensées vagabonder dans la direction qu'elles prenaient constamment ces temps derniers. Même alors qu'elle parlait, elle avait à deux ou trois reprises perdu le fil de ce qu'elle était en train de dire, il lui avait fallu s'interrompre et se plonger dans ses notes, elle avait semblé chercher ses mots, elle s'était mise à bafouiller. Le président de la firme avait fini par lui demander si elle ne se sentait pas bien. En se rasseyant, elle avait bu d'un coup un grand verre d'eau, puis elle avait vu se profiler devant elle les longs alignements de boutiques qui l'attendaient, remplies de choses qui attendaient qu'elle les achète, et un désir fébrile s'était emparé d'elle, une terrible impatience qu'on en eût fini avec toutes ces palabres et qu'elle pût s'échapper. La réunion finie, elle était presque sortie en courant, elle était hors d'haleine et assoiffée comme si elle avait parlé pendant des heures sans boire la moindre goutte.

En remontant Bond Street, elle s'acheta une veste et un ensemble. Elle les essaya, mais c'était seulement pour la forme et parce qu'elle était gênée par le regard étonné de la vendeuse.

Pendant qu'elle continuait son chemin en portant les deux sacs contenant l'ensemble et la veste, un taxi passa, comme s'il venait à sa rescousse, mais elle ne l'arrêta pas et s'engagea dans Brook Street. À présent, elle avait atteint un tel degré d'exultation maniaque que ses pieds lui semblaient ne plus être en contact avec le sol. Elle flottait, elle frôlait à peine la surface du trottoir. Elle traversait les rues sans regarder, constamment au risque de se faire renverser. Si elle avait croisé une personne de sa connaissance, elle serait passée à côté d'elle sans même la voir. Son corps, son cerveau étaient en proie à des mutations chimiques d'une telle puissance que ses facultés à reconnaître, à penser logiquement, à agir rationnellement en étaient complètement altérées. Elles annihilaient sa raison. Elle était totalement incapable de se contrôler parce que dans ces moments-là, cette heure-là peut-être, elle rejetait toute idée de guérison, elle désirait sa fièvre compulsive, elle l'aimait, elle en était ivre.

Elle avait certes des pensées, des mots qui lui traversaient l'esprit, mais ils étaient toujours absolument simples et directs. Pourquoi ne m'achèterais-je pas ces choses ? J'ai de quoi les payer. Pourquoi ne serais-je pas bien habillée ? Je n'ai aucune raison de me sentir coupable à cause de ce passe-temps si simple, si plaisant, si joyeux... Et ces phrases se répétaient dans sa tête tandis qu'elle flottait d'un trottoir à l'autre, d'une vitrine à l'autre, sentant son cœur battre à coups précipités.

Dans South Molton Street, elle s'acheta d'abord un chemisier et puis, dans la boutique suivante, une jupe avec un pull assorti. Elle n'essaya aucun de ces vêtements, et quand elle fut de nouveau dans la rue, quelque chose l'incita à regarder l'étiquette du pull et celle de la jupe et elle vit qu'elle les avait pris deux tailles au-dessus de la sienne. Elle resta là, immobile dans la foule des passants. Elle sentait son exaltation retomber, elle savait qu'elle n'oserait pas entrer de nouveau dans cette boutique.

Elle avait honte. La chute fut terriblement rapide, qui la fit tomber de la surexcitation la plus folle à une sorte d'horreur hallucinée. Sa fièvre la quitta tel un vêtement trop ample qui aurait glissé de ses épaules pour se répandre sur le sol comme une flaque de tissu, et elle fut brutalement éblouie par un foudroiement de conscience terrorisée. Elle se remit à marcher, mécaniquement. Juste avant d'arriver au croisement avec Oxford Street, elle jeta les sacs contenant les vêtements neufs dans la première poubelle venue, d'abord la jupe, le pull et le chemisier, puis, après un instant d'hésitation, la veste et l'ensemble. Elle se mit à courir.

Dans le taxi, elle pleurait. Le chauffeur lui demanda : « Ça ne va pas, ma petite ? », et elle répondit qu'elle ne se sentait pas très bien mais que ce n'était pas grave, dans un petit moment elle serait complètement remise. C'était au gaspillage qu'elle pensait, à ce que ce gaspillage avait de scandaleux. Il y avait des milliers, des millions de gens qui ne s'achetaient jamais de vêtements neufs, qui s'habillaient grâce à la charité publique ou vivaient en guenilles, qui, dans le meilleur des cas, parvenaient à se vêtir pour quelques livres en farfouillant dans les boutiques de friperie. Et elle venait de jeter dans une poubelle des vêtements tout neufs sortant des boutiques les plus huppées de Londres.

Sans savoir pourquoi, elle pensa soudain à Gil, qui lui témoignait tant d'amour et d'absolue confiance. Elle ne pourrait pas le regarder en face après ce qu'elle venait de faire, il faudrait qu'elle prenne une chambre dans un hôtel quelconque, au moins pour cette nuit. Le taxi suivait un itinéraire tortueux et contournait l'immeuble de la BBC en passant par Langham Place. Après avoir emprunté plusieurs petites rues, il déboucha dans Regent Street et elle dit au chauffeur qu'elle voulait descendre là. Cette interruption de la course prévue ne lui plut guère, et elle lui donna cinq livres de pourboire. Qu'est-ce que c'était que cinq livres ? Elle venait de jeter à la poubelle deux cents fois plus.

Avec seulement sa mallette à la main, elle entra dans un grand magasin. En montant au premier étage, elle aperçut son image dans un grand miroir, échevelée, les yeux hagards, le visage blême. Une folle. Tandis qu'elle s'attardait un instant devant le miroir, quelque chose d'autre la frappa. Elle n'était pas bien habillée, presque toutes les femmes qui circulaient dans le magasin étaient mieux habillées qu'elle. Chaque semaine, presque chaque jour, elle s'achetait des vêtements, des montagnes de vêtements, elle en faisait déborder ses placards, elle en avait tant qu'elle ne savait qu'en faire, sinon s'en débarrasser en les donnant aux bonnes œuvres ou les jeter sans les avoir jamais portés, et pourtant elle était moins bien habillée qu'une mère de famille banlieusarde qui achète ses vêtements en économisant sur l'argent que lui donne son mari pour subvenir aux besoins du ménage.

Elle haïssait les vêtements. Cette découverte lui venait soudain par éclairs intermittents, comme les élancements d'une brusque migraine. Pourquoi n'avait-elle jamais compris à quel point elle haïssait les vêtements ? Ils lui donnaient la nausée, avec leur odeur de neuf, cette odeur légèrement âcre, horrible, avec leur façon rampante d'enserrer son corps, d'imposer leur présence autour d'elle — comme maintenant, tous ces présentoirs, toutes ces tringles où étaient suspendus des manteaux et des vestes, des robes et des tailleurs. Elle se trouvait dans le Royaume des Vêtements, elle pouvait le sentir avec ses narines et avec ses mains, mais pas vraiment le voir. Sa vision était affectée par son état mental et une brume lui flottait devant les yeux.

Presque à tâtons, elle commença à décrocher des vêtements de leurs tringles, un pull ici, un chemisier là. Elle ouvrit sa mallette et les fourra à l'intérieur. Quand elle la referma, le bout d'une manche dépassait, ainsi qu'une

87

étiquette. Elle arracha de son cintre un vêtement en laine tricotée, long, sans manches et à gros boutons, et un corsage en organza très raide, puis un autre pull, un autre chemisier. Personne ne la vit, ou du moins personne ne tenta d'intervenir.

Elle prit une écharpe sur un rayonnage et l'enroula autour de son cou. En tirant très fort sur chaque extrémité, elle songea combien il serait doux de perdre conscience, d'être tranquillement étranglée par cette écharpe. Avec sous son bras sa mallette bourrée, trop pleine pour qu'elle pût la fermer, elle se dirigea vers l'escalator et redescendit. Personne ne la suivit. Personne n'avait rien vu. En traversant le rayon maroquinerie, elle saisit au passage un sac à main, bien que ce genre d'objet ne fût pas de ceux qui l'attiraient habituellement, puis un portefeuille et une paire de gants. Elle serra le tout dans une seule main, l'autre tenant sa mallette, les vêtements les plus volumineux pendant à son bras.

Dans le sas entre les portes intérieures en verre et celle qui s'ouvrait sur la rue, l'alarme se mit à sonner avec insistance. Un agent de sécurité approchait. Elle s'assit sur le sol avec tous ses larcins autour d'elle et, quand il se pencha, elle dit, d'un ton très sage mais avec une fêlure dans la voix :

« Aidez-moi. S'il vous plaît, aidez-moi, quelqu'un ! »

Liens de sang

« JE PENSE que vous savez qui a tué votre beau-père », dit Wexford.

Il avait prononcé ces mots par-dessus son épaule et la main déjà posée sur la poignée de la porte, comme une formule de congé convenue et sans conséquence. Il lui fut cependant impossible de sortir aussi prestement qu'il l'aurait voulu : dès l'instant où il s'était levé, il avait dû non seulement courber la tête, mais presque se plier en deux. La jeune femme à qui il venait de s'adresser était de taille menue et son compagnon ne mesurait guère plus d'un mètre soixante. S'ils avaient été plus grands, vivre à deux dans cette caravane aurait été insupportable, songea-t-il.

S'arrêtant un instant avant de sortir et constatant qu'elle ne lui répondait rien, il ajouta :

« J'espère que vous ne voyez pas d'inconvénient à ce que je revienne dans un jour ou deux, pour que nous ayons un autre petit entretien.

— Je suppose que même si j'en voyais un, ça ne changerait pas grand-chose.

— Rien ne vous oblige à me dire quoi que ce soit, mademoiselle Heddon. Vous êtes entièrement libre de refuser. »

Assurément, son attitude aurait été plus imposante s'il avait eu la possibilité de se tenir bien droit en face d'elle.

Wexford, toutefois, ne tenait pas spécialement à lui en imposer. Il parlait avec gravité, mais il y avait aussi dans son ton une certaine douceur.

« Mais si vous n'avez pas d'objection, nous reprendrons cette conversation lundi. J'ai le sentiment que vous en savez beaucoup plus long que ce que vous avez bien voulu me dire. »

Pour toute réponse, elle prononça une de ces phrases qui signifient invariablement le contraire de ce qu'elles semblent dire :

« Je ne vois pas du tout de quoi vous voulez parler.

— Ah ? Voilà qui est indigne d'une personne de votre intelligence », répondit-il — et ce disant, il était, lui, tout à fait sincère.

Il poussa la porte et s'extirpa de la caravane, ce qu'il ne parvint à faire qu'à reculons et en se recroquevillant sur lui-même pour franchir la petite porte. Avec soulagement, il sentit le sol herbeux sous ses pieds, dégagea sa tête et put enfin se redresser de toute sa hauteur. Elle l'avait suivi dehors et se tenait devant lui, la main sur la porte ouverte. C'était une jolie fille d'une vingtaine d'années, mais qui ne paraissait même pas cet âge avec ses longs cheveux blonds lui tombant jusqu'à la taille et son petit chemisier blanc d'écolière bien sage.

« À lundi, donc, dit Wexford. Vers 15 heures, si cela vous convient.

— Comme vous voudrez. »

Avec un de ces éclairs amusés qui lui traversaient parfois le regard, elle ajouta :

« Vous avez dû vous sentir comme un Rottweiler dans un terrier de lapin, là-dedans. »

Il sourit.

« La comparaison n'est pas mauvaise. Je n'aboie pas beaucoup, mais il vaut mieux prendre garde à mes crocs. »

Peut-être frappée par ces paroles, elle remonta dans la caravane et ferma la porte sans un mot de plus. Il retourna vers sa voiture, où Donaldson attendait au volant. Une petite piste cendrée tout juste praticable avait été tracée, qui lui permit de traverser les champs embourbés. Dans la brume froide, la forme du vieux wagon de chemin de fer transformé en maisonnette se distinguait à peine contre le sous-bois grisâtre et broussailleux. Il était tombé cinq centimètres de pluie depuis le jour où Tom Peterlee avait été trouvé mort, une semaine plus tôt, et le ciel chargé d'énormes cumulus couleur de plomb promettait de nouvelles intempéries.

« Nous sommes entrés dans la civilisation de la caravane, Steve, dit-il à Donaldson. Je veux dire, de la caravane comme domicile permanent, pas pour les vacances. Vous voyez ? Il y en a deux autres là-bas. Des ouvriers agricoles itinérants, je suppose. Et encore une, plus loin, toute rafistolée. Celle-ci n'a pas bougé d'ici depuis au moins deux ans, pour autant que je me rappelle, et elle abrite quatre personnes, un chien et un hamster.

— Franchement, patron, ça ne ferait pas mon affaire. Encore que si quelqu'un m'avait proposé une caravane à l'époque où je me suis marié et où ma femme et moi nous avons dû habiter chez ma belle-mère, je l'aurais remercié à genoux ! »

Wexford hocha la tête d'un air compréhensif en prenant place à l'arrière.

« Conduisez-moi à la ferme Feverel. Je ne veux pas entrer, seulement jeter un coup d'œil en passant. »

La route de Kenhurst remontait vers le nord, en direction d'Edenwick et de Kingsmarkham. De gros crachats de pluie commençaient à s'écraser sur le pare-brise lorsqu'ils atteignirent les premières maisons d'Edenwick et traversèrent le village en passant par la brève rue principale sans ralentir l'allure. Au-delà de la petite agglomération, la route dessinait un grand tournant, et les bâtiments épars de la ferme Feverel apparurent.

La boutique attenante à la ferme était restée close, bien qu'une pancarte en bois accrochée près du portail proposât encore des pommes, des poires, des prunes et des noix. Wexford pria Donaldson de garer la voiture en face pour quelques instants : il espérait que Heather Peterlee l'apercevrait de l'intérieur. Manifester un peu sa présence ne pouvait pas faire de mal. Il promena son regard, pour la vingtième fois peut-être, sur la baraque qui avait été naguère une boutique, les divers appentis mal entretenus, la maison des fermiers proprement dite et l'inévitable caravane.

« Elle aura du mal à trouver un acquéreur, patron, dit le chauffeur, comme s'il lisait ses pensées. Après ce qui s'est passé, les gens n'auront guère envie de l'acheter.

— C'est dans la cuisine que le meurtre a été commis, objecta Wexford d'un ton un peu sec. Pas à l'intérieur de ce truc.

— Pour certaines personnes, cela revient au même », dit Donaldson sans s'expliquer davantage.

La maison était d'époque victorienne, en briques couvertes d'un pâle crépi couleur de sable que les pluies avaient fait virer au kaki : une construction dont rien n'atténuait l'aspect lugubre, avec une fenêtre de chaque côté de la porte d'entrée, elle-même située exactement au

92

centre de la façade, et trois autres fenêtres à l'étage percées aux mêmes intervalles réguliers. Il n'y avait ni porche, ni balcon, ni même la moindre plante grimpante pour égayer si peu que ce fût la monotonie de ce grand mur verdâtre. Le toit, à peine incliné, était en ardoises d'un gris terne. Une dizaine de mètres de gravier et d'herbe clairsemée séparaient l'édifice de la boutique. Entre les deux et à quelque distance, on apercevait la caravane, garée sur une dalle en béton, et, au-delà, les vergers. D'où ils se trouvaient, ceux-ci ressemblaient plutôt à des arpents plantés de gros choux. Seuls les noyers avaient l'aspect d'arbres véritables ; leurs branches avaient gardé une bonne partie de leurs feuilles, mais ce feuillage brunissant avait quelque chose d'exténué. La double porte de la boutique était cadenassée, ses fenêtres fermées par de vieilles planches clouées, et on avait retiré les étals où, à l'extérieur, était habituellement exposée la marchandise. On aurait cru une cabane délabrée et abandonnée depuis longtemps. Une des plaques de tôle ondulée qui lui servaient de toit avait glissé et pendait d'un côté, se balançant avec un bruit de ferraille dans le vent qui devenait de plus en plus fort.

L'ensemble des lieux composait une vision absolument sinistre, et aucun visiteur n'aurait eu de peine à imaginer qu'ici, un homme avait récemment trouvé la mort sous les coups d'un assassin. Wexford revit en esprit, non sans un certain dégoût, les petits groupes de gens qui s'étaient rassemblés devant ce portail la semaine précédente, debout et observant. Certains étaient assis dans leurs voitures, attendant parfois des heures, les yeux fixés sur la maison, dans l'espoir que quelque chose se passât. Beaucoup se remémoraient, sans doute, que quelques jours plus tôt ils étaient venus dans cette boutique de fortune acheter une caisse de mirabelles, quelques livres de pommes Cox ou une des tartes aux pommes confectionnées par Heather Peterlee et qu'elle sortait du congélateur à la demande.

Au moment où Donaldson remettait le moteur en marche, un chien apparut, venant de l'arrière de la maison, et se mit à aboyer en se dressant contre le portail. C'était un épagneul noir, mais d'un caractère bien plus agressif que ne le sont en général les chiens de cette race. Quelques jours plus tôt, Wexford avait déjà senti ses dents à travers la manche de sa veste, et il s'en était fallu de peu que le sang ne coulât.

« C'est ce chien-là, patron ? »

Tout le monde connaissait les détails de l'histoire, même ceux qu'elle ne concernait que de très loin. Wexford confirma que oui, c'était bien ce chien-là, Scamp. La pauvre bête avait retrouvé sa voix temporairement perdue à force de japper sans arrêt au passage de tous les voyeurs.

Wexford chercha à apercevoir les gens du voisinage, si l'on pouvait appeler voisinage une seule maison, séparée par une cinquantaine de mètres de labours. Joseph Peterlee, son propriétaire, était loueur d'instruments agricoles, et en ce moment un client lui rapportait une pelleteuse mécanique dont les roues géantes transportaient des masses de la lourde terre argileuse de la région collées aux pneus. En grande conversation avec son mari et le conducteur de la pelleteuse, Mme Monica Peterlee se tenait sur la large allée de béton craquelée et parsemée de flaques boueuses qui menait au garage, un parapluie vert au-dessus de la tête et, pour le reste, dans son uniforme

94

immuable : grand tablier en toile cirée à fleurs et bottes de caoutchouc. Voilà donc les personnages du drame, songea-t-il, à l'exception de celle qui, pour paraphraser Kipling, était allée rejoindre l'élu de son cœur comme le lui dictait son devoir, et d'un autre qui, lui, était allé Dieu seul savait où.

Pourquoi était-il si sûr qu'Arlene Heddon connaissait la solution du problème ? Non sans mépris, Mike Burden, son adjoint au commissariat de Kingsmarkham, avait dit que, au moins, elle était plus agréable à regarder que la veuve de l'homme assassiné. Avec son habituel dédain pour les gens dont la vie ne ressemblait pas suffisamment à la sienne, il avait tenu des propos peu flatteurs sur « la fille Peterlee », comme si le fait de ne pas avoir de métier ni de véritable maison conduisait obligatoirement et directement au meurtre.

« Son nom de famille est Heddon, avait rectifié Wexford assez froidement. C'est le nom de son père. Heather Peterlee, rappelle-toi, s'appelait Mme Heddon avant de se remarier. »

Il avait ajouté, en se demandant pourquoi il prenait la peine de sacrifier aux stupides préjugés de Burden :

« Elle était veuve. »

Rapide comme l'éclair, Burden était revenu à la charge :

« Ah oui ? Et de quoi est mort son premier mari ?

— Franchement, Mike, je ne me souviens plus ! Un cancer des os, il me semble. De toute façon, rien de suspect. Mais pour en revenir à Arlene Heddon, c'est une jeune femme remarquablement intelligente, tu sais.

— Non, je ne sais pas. Tu plaisantes, je suppose ? Les jeunes femmes remarquablement intelligentes ne vivent pas de l'aide sociale en habitant dans des caravanes avec des ouvriers soudeurs au chômage.

— Ce que tu peux être snob !

— Et des ouvriers soudeurs mariés, pour couronner le tout. Je ne suis pas snob, j'ai seulement un peu de moralité. Les jeunes femmes intelligentes commencent par avoir de bonnes notes à l'école, puis elles font des études supérieures, choisissent des professions sérieuses et bien payées et obtiennent un crédit de leur banque pour s'acheter une vraie maison avec un jardin.

— Je suppose qu'à un certain moment, Arlene Heddon s'est écartée de cet impeccable itinéraire. De toute manière, je n'ai pas voulu dire que c'était une grande intellectuelle. Mais elle est très fine, très maligne et vive.

— Et sa mère, la veuve à répétition ? Est-ce que c'est elle, le génie dont la charmante Arlene a hérité son prodigieux QI ? »

Ces propos avaient été échangés dans le salon de Wexford, le samedi soir précédent. Ce n'était ni l'heure ni le lieu pour discuter du meurtre, mais Burden était passé prendre un verre après le dîner et, quels que fussent les sujets qu'ils abordaient, la conversation, comme par un effet de magnétisme, revenait toujours au bout de quelques minutes sur la famille Peterlee, si bien que Wexford finit par suggérer qu'ils reprissent la chronologie des événements depuis le début. Dora, sa femme, était présente, mais elle lisait tranquillement dans un fauteuil près de la fenêtre. Aussi, pour une fois, ne proposa-t-il pas qu'ils prissent place dans une autre pièce pour continuer l'entretien.

« Tu pourras sans doute me corriger sur des points de détail, commença Wexford, mais je crois que tu seras d'accord si je résume les choses ainsi. Le jeudi 10 octobre au matin, Heather Peterlee a ouvert comme d'habitude la boutique de la ferme Feverel à 9 heures. Elle y vendait les divers produits de l'exploitation, ainsi que des fruits et légumes plus exotiques achetés à un grossiste. Comme d'habitude aussi, la belle-sœur de Heather, Mme Monica Peterlee, est arrivée pour l'aider à tenir la boutique. Le mari de Heather, Tom, travaillait à l'extérieur, et à l'heure du déjeuner il est venu près de la boutique au volant de son tracteur pour apporter des légumes qu'il avait cueillis pendant la matinée.

« Ils ont déjeuné dans la boutique, qu'ils ont laissée ouverte, et, aux alentours de 15 heures, Joseph Peterlee est arrivé en voiture pour emmener sa femme faire des courses à Kingsmarkham. Tom et Heather sont restés pour servir les clients jusqu'à la fermeture, à 17 heures. Après quoi ils sont rentrés dans la maison et Heather a commencé à préparer le repas du soir. Tom avait vidé la caisse de la boutique et emporté l'argent avec lui, dans l'intention de le placer en sécurité dans le coffre-fort, mais il l'a d'abord posé sur le buffet de la cuisine qui se trouve en face de la porte donnant sur l'extérieur. La somme s'élevait à environ trois cent soixante livres. Il a donc posé cet argent sur le buffet et, par-dessus, son appareil photo, probablement pour éviter qu'un courant d'air ne fasse s'envoler les billets lorsqu'on ouvrirait la porte. Ensuite, il est allé frapper à la porte de la caravane parce qu'il avait à parler à son occupante, Carol Fox, qui la loue depuis l'été. En fait, il comptait lui expliquer que le loyer qu'il lui demandait était vraiment très bas et qu'il souhaitait l'augmenter quelque peu.

— Tom Peterlee n'a pas été assassiné pour trois cent soixante livres, interrompit Burden.

— Non, probablement, mais un certain nombre de gens voudraient bien nous le faire croire. En fait, le problème le plus délicat est de comprendre pourquoi il a été assassiné. Apparemment, il était très sympathique à tout le monde. Nous avons reçu... »

Wexford hésita un instant.

« Nous avons reçu un grand nombre de témoignages à son sujet, tous très élogieux et provenant de toutes sortes de gens. On a l'impression qu'il était une sorte de modèle à tous points de vue : un mari parfait, un type très bien, très honnête, toujours d'une parfaite gentillesse. Et fort bel homme, de surcroît. Même dans la chambre froide, à la morgue, il était remarquablement beau. Excuse-moi, Dora. »

Il s'était tourné un instant vers sa femme, qui continuait à lire en écoutant d'une oreille.

« Continuons. Ils ont pris leur repas à 17 h 30. Pendant qu'ils mangeaient, Tom a informé sa femme, selon ce que celle-ci nous a déclaré, que la question du loyer avait été arrangée à l'amiable. Carol était désireuse de continuer à habiter la caravane et admettait que le loyer qu'elle payait était anormalement bas. »

Dora l'interrompit.

« Est-ce que c'est bien cette femme qui a quitté son mari et dont Heather Peterlee a déclaré qu'elle lui avait proposé d'habiter leur caravane parce qu'elle n'avait nulle part où aller ?

— Oui. Une vieille amie de Heather, semble-t-il. Selon Heather, une fois la question du loyer réglée, elle a dit à Tom qu'elle passerait une heure plus tard pour sortir promener le chien avec elle. Heather emmenait toujours le chien en promenade après le dîner, et Carol avait pris

98

l'habitude de l'accompagner. Heather a lavé la vaisselle et Tom l'a essuyée et rangée. Comme je l'ai dit, c'était un mari parfait. À un moment donné, il est sorti chercher du bois dans la remise pour en mettre dans les deux poêles, celui de la cuisine et celui de la salle de séjour.

« Carol a frappé à la porte et elle est entrée dans la cuisine à 18 h 20. Il ne pleuvait pas, mais Heather prévoyait que la pluie n'allait pas tarder. Or Carol ne portait qu'une petite veste en laine tricotée, et comme il y a toujours plusieurs imperméables suspendus à la porte de derrière, elle lui a conseillé d'en prendre un. Carol a suivi son conseil et elle a choisi un imperméable marron clair.

— C'est plutôt bizarre qu'elle ne soit pas plutôt allée prendre un vêtement à elle dans la caravane, non ? fit observer Burden. Elle me fait l'effet d'une femme très soucieuse de son apparence. Mais peut-être que cela lui était égal, puisqu'elle sortait avec une vieille amie, qu'il faisait déjà sombre et qu'il était peu probable qu'elles rencontreraient quelqu'un. »

Dora lui lança un regard énigmatique, un peu ironique, mais ne dit rien. Son mari reprit :

« Si tu te rappelles bien, quand la caravane a été fouillée en même temps que toute la ferme, on a remarqué que parmi les vêtements de Carol Fox il n'y avait pas d'imperméable. Elle a dit qu'elle en empruntait toujours un à Heather en cas de besoin, ce que Heather a confirmé. Elles sont donc sorties promener le chien et elles ont marché dans la campagne autour de la ferme. Pour être précis, elles déclarent avoir traversé les prés en empruntant le chemin vicinal pour aller jusqu'à la rivière. Elles ont quitté la maison entre 18 h 20 et 18 h 30. La nuit n'était pas encore tombée, et elles savaient qu'elle ne tomberait pas avant 19 heures. Quant à ce que Tom a fait pendant leur absence, nous ne le savons pas et nous ne le saurons probablement jamais. La seule chose que nous sachions est qu'il n'a pas placé l'argent dans le coffre.

« À 18 h 50 environ, Arlene Heddon est arrivée à la ferme dans la camionnette de son ami. »

Il regarda un instant Burden en haussant un sourcil, d'un air de léger défi.

« Son ami, autrement dit l'ouvrier soudeur marié et chômeur, Gary Wyatt. Arlene et Gary n'ont pas le téléphone, et un peu avant 18 heures un message avait été transmis à Arlene par sa "Mamie", qui est propriétaire du terrain sur lequel elle vit dans sa caravane. Elle n'est pas sa grand-mère stricto sensu, bien sûr, mais Arlene l'appelle quand même Mamie.

— La vieille sorcière, dit Dora. C'est comme ça que les gens l'appellent. Tout le monde la connaît.

— Je ne pense pas qu'elle soit aussi vieille qu'elle en a l'air et elle n'est certainement pas sorcière, même si elle aime bien se donner cette apparence. Pour être la mère de Joseph et de Tom, il suffit qu'elle ait dans les soixante-cinq ans, et je suis même enclin à penser qu'elle ne les a pas. Mais reprenons. Le message transmis à Arlene par Mme Peterlee aînée était que sa mère avait fini de lui tricoter son pull-over et que si elle en avait besoin pour le lendemain, vendredi, elle n'avait qu'à passer le chercher. Elle lui proposait de venir à la ferme vers 20 heures. Mamie a ajouté qu'elle conduirait volontiers Arlene elle-même, puisqu'elle allait en début de soirée à Kingsmarkham pour la réunion exceptionnelle de l'Association locale du Parti conservateur. Non, Dora, je ne me moque pas de toi. Mais Arlene a décliné son offre en disant que

Gary et elle n'auraient pas fini de dîner. Gary la conduirait dans sa camionnette un peu plus tard.

« En fait, Gary avait l'intention de sortir dès 18 h 30. Il l'a déposée devant la ferme — où elle est donc arrivée plus d'une heure en avance puisque sa mère avait dit 20 heures — et il est retourné à Edenwick pour prendre un verre avec des copains à lui au pub appelé "The Red Rose". Cela, au demeurant, personne ne nous l'a confirmé. Ni le gérant ni la serveuse ne se souviennent l'avoir vu. En revanche, il est prouvé que la vieille sorcière, elle, a bien assisté à la réunion des conservateurs. Aussi incongrue que puisse paraître sa présence dans une telle assemblée, il semble que tous les Tories de Kingsmarkham se rappellent parfaitement l'avoir vue dans la "salle des séminaires" de l'hôtel Olive and Dove. Toutefois, pas avant 19 h 30, c'est-à-dire l'heure à laquelle la réunion a commencé. Qu'a-t-elle fait pendant le laps de temps qui s'est écoulé après sa conversation avec Arlene, c'est-à-dire pendant plus d'une heure et demie ?

« Gary avait promis de repasser prendre Arlene une heure plus tard. Arlene a contourné la maison et est entrée par la porte de la cuisine, qui n'était pas fermée à clef. Faisant partie de la famille, elle n'a pas pris la peine de frapper ou d'appeler : elle est entrée directement.

« C'est là, dans la cuisine, qu'elle a découvert le corps de son beau-père, Tom Peterlee, gisant face contre terre, l'arrière de la tête ensanglanté. Elle s'est agenouillée et a touché son visage. Il était encore tiède. Elle savait qu'il y avait un téléphone dans la salle de séjour mais, craignant que la personne qui avait assommé Tom ne se trouve encore dans la maison, elle est ressortie en courant, espérant que Gary n'était pas encore parti. En constatant que la camionnette n'était plus là, elle a couru jusqu'à la maison de M. et Mme Joe Peterlee, environ cinquante mètres plus loin. Elle s'est servie de leur téléphone pour appeler la police.

« Joe Peterlee était sorti, au dire de son épouse. Arlene — tout ceci, bien sûr, est le témoignage d'Arlene, en partie confirmé par Monica Peterlee —, Arlene, disais-je, lui a demandé de retourner avec elle à la ferme pour attendre la police et l'ambulance, mais Monica a répondu qu'elle avait trop peur : aussi Arlene y est-elle retournée toute seule. Au bout de quelques minutes, vers 19 h 05, sa mère et Carol Fox sont revenues de leur promenade avec le chien. Elle les attendait près de la porte de derrière.

« Elle a essayé de les préparer au spectacle qu'elles allaient trouver en entrant dans la cuisine, mais Heather a aussitôt poussé un grand cri et s'est précipitée à l'intérieur. Elle s'est jetée sur le corps de son mari, et quand Arlene et Carol l'ont relevée elle a commencé à se frapper la tête contre le mur. »

Burden hocha la tête. Wexford continua :

« Ces gestes — comment les définirons-nous ? Des manifestations de douleur ? un accès d'hystérie ? — expliquent pourquoi il y avait du sang sur le devant de l'imperméable de Heather Peterlee et pourquoi son visage était couvert d'ecchymoses. Ou, du moins, ils peuvent l'expliquer.

« La police est arrivée au même moment et a aussitôt interrogé tout le monde. Évidemment, personne n'avait vu de personnage suspect rôdant autour de la ferme. C'est toujours la même chose : personne n'a jamais rien vu ni rien entendu. Joe Peterlee n'a pas été capable de fournir un compte rendu satisfaisant de ce qu'il avait fait entre

18 h 20 et 18 h 50. Pas plus que Gary Wyatt et Mamie Peterlee.

« L'argent avait disparu. Aucune arme n'a été découverte. Dans la maison, il n'y avait pas non plus d'empreintes, hormis, bien sûr, celles de Tom, de Carol Fox et d'Arlene. Le rapport du médecin légiste affirme que Tom est mort entre 18 h 15 et 19 h 15, mais cette "fourchette" peut être réduite très considérablement si nous en croyons Arlene. Souviens-toi : elle a déclaré que lorsqu'elle a touché son visage, vers 18 h 50, il était encore tiède.

« Mais je crois qu'elle ment. Je crois qu'elle ment du début à la fin, qu'elle essaie de protéger quelqu'un, et c'est pourquoi je compte bien continuer à la tarabuster jusqu'à ce que je découvre qui est ce quelqu'un. Mamie Peterlee, ou son ami Gary, ou son oncle Joe... ou même sa mère. »

Dora fronça le nez.

« Reg, tu ne trouves pas que ça a quelque chose d'ignoble de pousser une fille à trahir sa propre mère ? Ça me fait penser au KGB.

— Et on sait comment les choses ont tourné pour les types du KGB », dit Burden.

Wexford sourit.

« Il se pourrait que je la force seulement à trahir la belle-sœur de son beau-père. Est-ce que ça aussi, c'est antidémocratique ? »

Burden les quitta aux alentours 21 h 50. Il était à pied, car son domicile et celui de Wexford n'étaient distants que d'un kilomètre et demi et il préférait de beaucoup la marche à pied aux exercices physiques auxquels sa femme lui conseillait de s'astreindre, comme pédaler sur une bicyclette d'appartement ou faire de la course sur place comme un hamster dans une cage tournante. Le trajet jusqu'à chez lui le faisait passer devant le grand centre commercial récemment ouvert, le York Crest Centre. Il trouvait affreux et le nom et l'endroit. Tout cela jurait violemment avec le charme désuet de Kingsmarkham tel qu'il l'avait connu lorsqu'il était venu s'y installer.

En ce temps-là, il y avait de l'animation dans la petite ville, le soir. Des gens entraient et sortaient des pubs et des restaurants, allaient au cinéma ou se promenaient tout simplement dans les rues ; en cette époque bénie, l'automobile n'avait pas encore imposé son omniprésence et sa loi. Et, bien sûr, la télévision, les effets de la crise économique et la crainte de la violence urbaine s'étaient comme ligués pour dissuader les habitants de sortir de chez eux, en sorte que la ville était maintenant déserte après la tombée de la nuit. Tout était silencieux, vide, et cependant brillamment éclairé, ce qui donnait à l'ensemble un aspect légèrement sinistre.

Le bruit de ses pas éveillait de faibles échos, il voyait sa silhouette solitaire se refléter dans les vitrines soigneusement polies. Il n'avait pas aperçu une seule âme lorsqu'il déboucha dans York Street, personne n'attendait au coin d'une rue ou à un arrêt d'autobus. Il décida de s'engager dans la ruelle qui longeait le York Crest Centre : cela raccourcirait son trajet de deux ou trois cents pas. Y a-t-il encore des gens de nos jours qui sachent précisément à quoi correspondent deux ou trois cents pas ? se demandait Burden, comme toujours un peu vieux jeu et nostalgique.

Dans ses méditations silencieuses éclata le fracas des voleurs en voitures-bélier.

Il lui fallut presque une demi-minute pour bien comprendre ce qui se passait. Il avait vu ce genre de scènes à la télévision, mais pensait que cela n'arrivait que dans les régions déshéritées du Nord industriel. Un raid en voitures-bélier. C'était l'expression qu'avait employée quelqu'un pour désigner ce type de razzias. La Land Rover d'abord, faisant demi-tour sur l'esplanade et reculant à toute allure pour fracasser l'énorme double porte en verre qui fermait la nuit le centre commercial. Le bruit du verre qui volait en éclats avait été terrible, comme l'explosion d'une bombe.

La Land Rover disparut à l'intérieur, suivie de deux autres voitures, deux Volvo dont les pneus firent crisser bruyamment le verre brisé au passage, puis ce fut le vacarme de vitrines qui explosaient sous les coups de boutoir des trois véhicules. Il n'attendit pas la suite des événements. Il avait son téléphone portable dans la main et pressait le bouton alors que la lumière des phares arrière de la seconde Volvo était encore visible. Les mots HORS SERVICE apparurent sur le petit écran. Il secoua l'appareil, tira sur l'antenne au maximum. L'écran continuait d'indiquer HORS SERVICE. Son téléphone était en panne. Cela ne s'était jamais produit jusqu'à présent, mais il avait fallu que cela se produisît ce soir, alors même qu'il se trouvait exactement à l'endroit voulu, exactement au moment voulu.

Burden courut à toutes jambes vers l'extrémité de la petite rue, jusqu'à la rangée de téléphones publics installés contre le mur du bureau de poste sous leurs abris en plexiglas. Le premier qu'il essaya avait été cassé par des vandales, le second fonctionnait. Si ses collègues pouvaient arriver dans les cinq minutes, voire dans les dix minutes... Il rebroussa chemin, d'un pas lourd tout d'abord, puis, prenant conscience qu'il serait prudent de ne pas se faire entendre, marcha très légèrement jus-

105

qu'aux abords de l'entrée du centre. Ils repartaient : en tête, la Land Rover — de toute évidence volée — avec toutes ses vitres brisées, les deux Volvo à quelques mètres derrière, et ils avaient disparu Dieu sait où au moment où apparurent les véhicules de la police du Mid-Sussex.

Le but du raid avait été d'emporter autant de matériel électronique de la vaste boutique d'audiovisuel Nixon's que les voleurs pourraient en entasser dans leurs voitures en moins de cinq minutes. Le butin était énorme, et il avait certainement fallu une douzaine d'hommes pour l'amasser en si peu de temps.

On répara le téléphone cassé contre le mur de la poste et, le lendemain, les vandales étaient repassés par là et l'avaient à nouveau saccagé, de même que tous ceux de la rangée.

C'était un lundi, jour de la deuxième conversation de Wexford avec Arlene Heddon. En cette occasion, il se rendit à la caravane garée sur les terres de la vieille Mme Peterlee vers la fin de l'après-midi. Arlene faisait parfois le ménage dans les maisons des alentours, mais elle était toujours là l'après-midi. Il frappa à la porte et, de l'intérieur, elle lui cria d'entrer.

La télévision était allumée et elle la regardait, à demi étendue sur la banquette qui lui faisait face. Elle avait l'air si nonchalant — somnolent, même — que Wexford pensa qu'elle éteindrait avec la télécommande posée sur le rebord de la demi-cloison séparant la cuisine de l'autre pièce. Mais elle se leva et appuya sur le bouton du poste. Ils se regardèrent et, cette fois, elle semblait avoir très envie de parler. Il commença par lui poser une série de questions nouvelles, puis toutes celles qu'il lui avait déjà posées précédemment.

Il remarqua alors que ce qu'elle répondait était légèrement différent de ce qu'elle lui avait dit la première fois, même si seuls des détails mineurs en étaient altérés. Sa mère ne s'était pas jetée sur le corps du mort, mais elle s'était agenouillée et avait pris sa tête entre ses bras. C'était contre un des compteurs et non contre le mur qu'elle avait frappé sa propre tête.

Le chien s'était mis à hurler à la vue du corps de son maître mort. La première fois, elle avait dit qu'elle avait entendu un bruit à l'étage au moment où elle était arrivée. Cette fois, elle déclara que non, que tout était silencieux. Elle n'avait pas remarqué si l'argent était là ou non quand elle était entrée, mais maintenant elle affirmait qu'il se trouvait bien là, avec l'appareil photo posé au-dessus. Quand elle était revenue après avoir passé son coup de téléphone, elle n'était pas rentrée dans la maison, mais avait attendu dehors le retour de sa mère. C'était du moins ce qu'elle avait prétendu la première fois. À présent, elle disait qu'elle était entrée à nouveau dans la cuisine, très brièvement, et que l'appareil photo était toujours là mais que l'argent avait disparu.

Wexford lui fit observer ces divergences, sans avoir l'air d'y attacher beaucoup d'importance. Elle ne fit aucun commentaire.

Il lui demanda, avec une apparente indifférence :

« Simplement par curiosité, comment saviez-vous que votre mère était sortie promener le chien ?

— Le chien n'était pas là et elle non plus.

— Vous n'avez pas osé utiliser le téléphone dans la maison par crainte que l'assassin de votre beau-père ne soit encore là. Il ne vous est jamais venu à l'esprit que votre mère pouvait se trouver quelque part dans la maison, morte elle aussi ? Que Carol Fox pouvait être en train de promener le chien toute seule, comme cela lui arrivait peut-être quelquefois ?

— Je ne connaissais pas très bien Carol », dit Arlene Heddon.

Cette phrase ne constituait guère une réponse.

« Mais c'était une amie intime de votre mère, une vieille amie, n'est-ce pas ? On peut dire que votre mère lui a offert de se réfugier chez elle quand elle a quitté son mari ? Et ça, c'est le geste d'une amie très proche, vous ne croyez pas ?

— J'ai quitté la maison de ma mère quand j'avais dix-sept ans. Je ne connais pas toutes ses amies. Et, bien sûr, je ne savais pas s'il arrivait à Carol de promener le chien toute seule, ou rien de ce genre. Je sais que ma mère le faisait et que Tom le faisait quelquefois aussi. On ne m'a jamais dit si Carol accompagnait ma mère ou non, mais ça n'a rien d'étonnant. Je ne m'intéressais pas à Carol.

— Pourtant, vous avez attendu qu'elles reviennent toutes les deux de leur promenade, mademoiselle Heddon.

— J'ai attendu le retour de ma mère », corrigea-t-elle.

Là-dessus, Wexford la laissa seule, en promettant de revenir pour un nouvel entretien le jeudi suivant. Il n'aperçut nulle part Mamie Peterlee, mais alors qu'il approchait de sa voiture la sienne arriva à toute allure, rebondissant sur le terrain inégal. Elle fit une ou deux grandes embardées, dérapa avec un crissement de freins sur la glace, contourna dans une courbe rapide le vieux wagon de chemin de fer et s'arrêta enfin dans un brusque cahot.

Florrie Peterlee, qui allait sur ses soixante-dix ans et en paraissait quatre-vingts, conduisait comme une tête brûlée de dix-huit ans au volant de sa première guimbarde.

Elle donna l'impression de sortir en s'aidant de ses griffes. Ses cheveux blancs étaient aussi longs et lisses que ceux d'Arlene et elle était toujours vêtue de draperies noires qui, curieusement, avaient parfois l'air à la mode. Sur une jeune fille, ce genre d'habillement aurait même eu un certain chic. Elle avait un nez crochu, un menton proéminent, de grands yeux noirs. Mais Wexford aurait été incapable de citer spontanément le nom d'une personne qui semblât jouir si intensément de la vie que Mme Peterlee aînée. Une partie du plaisir qu'elle en tirait venait de son indifférence à ce que les gens pouvaient penser d'elle hormis, bien sûr, son besoin de leur donner l'impression qu'elle était une sorcière ; une autre partie venait de son inattaquable bonne santé et de son entrain naturel. Jusqu'à présent, elle n'avait laissé paraître aucun chagrin consécutif à la mort de son fils.

« Vous êtes trop vieux pour elle, dit la vieille sorcière.

— Trop vieux pour quoi ? s'enquit Wexford, refusant de se laisser décontenancer.

— Oh, écoutez-moi ça ! En voilà une question à poser à une personne de mon âge ! Prenez garde que je ne vous jette pas un sort. Pourquoi ne la laissez-vous pas tranquille, ce pauvre agneau ?

— Elle va me dire qui a tué votre fils Tom.

— Allons donc ! Elle n'en sait rien. C'est peut-être moi, d'ailleurs. »

Elle le fixa d'un air de défi.

« J'ai été à deux doigts de tuer son père autrefois. Je lui ai dit : "Arthur Peterlee, tu as levé la main sur moi une

109

fois de trop." Puis j'ai pris le couteau de cuisine et je me suis avancée en le pointant sur lui. Je ne peux pas dire qu'il ne m'ait plus jamais touchée, ç'aurait été contraire à la nature humaine, mais il est tombé raide mort peu de temps après, pauvre vieux salaud. Le cœur a lâché. Et moi, j'étais si contente d'en être débarrassée que j'ai dansé sur sa tombe. Je sais que les gens disent souvent ça comme une façon de parler, mais moi je l'ai fait pour de bon. Je suis allée au cimetière avec une demi-bouteille de gin et j'ai bel et bien dansé sur sa tombe, à cette ordure ! »

Wexford l'imaginait sans peine, les cheveux volant dans le vent, ses draperies flottant autour d'elle, la bouteille dans une main, son vieux visage ridé inondé de gin, dansant sous les chênes verts et les ifs. Il haussa les sourcils. Avant qu'elle eût le temps de le prendre au dépourvu encore une fois, ou d'essayer, il lui demanda si elle avait de nouveau réfléchi à ce qu'elle avait fait pendant cette fameuse heure où elle s'était montrée incapable de justifier son emploi du temps, le soir où son fils avait été tué.

« Vous seriez surpris ! »

Elle avait prononcé ces mots non comme une expression toute faite, mais comme l'assurance qu'elle pourrait bel et bien le surprendre. Et il ne doutait pas qu'elle en fût capable. Elle sourit largement, montrant une rangée de dents blanches et régulières — ses dents véritables, pas une prothèse. L'idée le traversa soudain que si elle prenait un bon bain, coiffait soigneusement son abondante chevelure et s'habillait de manière plus adéquate pour une matrone campagnarde, elle aurait sûrement une allure superbe. Il ne s'inquiétait guère de son alibi ou de son absence d'alibi, car il lui semblait très douteux qu'elle eût la force physique suffisante pour brandir l'« instrument contondant » qui avait tué Tom Peterlee.

Il était en revanche tout à fait certain de savoir ce qu'était cet instrument et ce qu'il était devenu. En arrivant à la ferme Feverel moins d'une heure après que l'alerte avait été donnée, il avait remarqué les échardes de bois sur la tête de Tom Peterlee avant même l'arrivée du médecin légiste. Avec un serrement de cœur, il avait tiré les conclusions qui s'imposaient en voyant un grand panier plein de bûches juste à côté de la porte de derrière et un grand poêle à bois encastré dans une embrasure du mur en face de l'autre porte, celle qui donnait sur la rue. On ne retrouverait jamais l'arme du crime. Sans avoir aucun moyen de le prouver, il avait su d'emblée que le meurtrier avait utilisé une bûche de chêne dure comme du fer, d'une trentaine de centimètres de longueur et de huit ou dix de diamètre probablement, une bûche dont il s'était servi pour frapper et frapper encore, avant de la jeter au milieu des braises flamboyantes du poêle.

Il avait même regardé. On avait laissé le poêle s'éteindre car, évidemment, personne ne s'était soucié d'entretenir le feu en un moment pareil. Dans la cendre poudreuse et grise, quelque chose continuait à rougeoyer un peu, puis s'était éteint sous ses yeux. Plus tard, il avait fait analyser cette cendre. Pendant tout le temps où il s'était trouvé sur les lieux, le chien n'avait cessé de hurler. Quelqu'un l'avait enfermé dans une pièce au fond de la maison, mais ses longs hurlements avaient poursuivi Wexford jusque sur la route qui le menait au domicile de Joseph et Monica Peterlee.

Il se souvenait de s'être demandé, sans que cela eût le moindre rapport avec l'affaire, si Monica restait habillée ainsi lorsqu'elle se mettait à table ou regardait la télévision. À 21 heures, elle portait toujours sa vieille blouse croisée en toile cirée à fleurs et ses bottes de caoutchouc noires. Son mari était comme une autre version de son frère, en beaucoup plus lourd et plus volumineux. Il était plus âgé de trois ou quatre ans, ses cheveux étaient gris fer alors que ceux de Tom étaient châtains, et son ventre gras et proéminent, tandis que Tom n'avait pas d'embonpoint. Chacun des deux fournissait un alibi à l'autre, ce qui ne voulait rien dire, et Joe admettait n'en pas avoir pour l'heure du crime. Il était dans les champs en train de chasser les lapins, dit-il en exhibant sa carabine et son permis de chasse.

« On a tué Tom pour l'argent, dit-il à Wexford d'un air sagace, et comme si sans cette affirmation de sa part l'idée d'un tel mobile ne serait jamais venue aux policiers. Je le lui avais dit. Je le lui disais tout le temps : "Ne laisse pas ton argent traîner comme ça alors que les gens peuvent le voir, même pour une heure, même en plein jour. Pourquoi as-tu un coffre si tu ne t'en sers pas ?" Je le lui avais dit et répété. Pas vrai, Monica ? »

Sa femme confirma qu'en effet il l'avait dit. Dit et répété à maintes reprises. Wexford avait le sentiment qu'elle était prête à confirmer n'importe quoi du moment qu'il le disait. Pour avoir la paix, pour se simplifier la vie. C'est deux jours plus tard, lorsqu'il les questionna de nouveau, qu'il demanda comment étaient les relations entre Tom et Heather Peterlee.

« C'était un couple très heureux, dit Joe. Jamais une dispute en dix ans de mariage. »

Par la suite, Wexford s'était demandé comment Dora réagirait s'il avait dit la même chose à propos de tel ou tel

112

membre de leur famille. Ou Jenny, la femme de Burden, si c'était lui qui avait prononcé ces mots. Assez sèchement, cela ne faisait guère de doute. L'une comme l'autre serait intervenue aussitôt en disant une phrase comme : « Allons, qu'est-ce que tu peux en savoir ? », ou : « Tu n'étais pas une souris cachée dans un coin pour tout voir. » Mais Monica n'avait rien dit. Elle s'était contentée de sourire nerveusement. Puis son mari l'avait regardée, et elle avait cessé de sourire.

On s'attendait que le gang des voitures-bélier se lance de nouveau à l'attaque le samedi soir suivant. Mais non : c'est le vendredi soir qu'ils passèrent à l'action, le jour où les boutiques du Buyers'Heaven, le centre commercial de Stowerton Brook, ouvraient en nocturne. Ils opérèrent moins d'une heure après la fermeture. Une autre Land Rover volée fracassa la double porte d'entrée, suivie par une Range Rover et une BMW, volées également. Cette fois, c'est au magasin de la chaîne Electronic World qu'ils s'en prirent, mais le butin était similaire à celui qu'ils avaient emporté la semaine précédente.

Ils étaient partis dans leurs trois véhicules avec une quantité de matériel dont la valeur s'élevait au chiffre astronomique de trente-cinq mille livres.

Cette fois, Burden n'était pas dans les parages, en train de rentrer chez lui, car la zone industrielle de Stowerton Brook où se trouvait le centre commercial était totalement déserte le soir, bien plus encore que Kingsmarkham. Les deux molosses qui veillaient sur le matériel des ouvriers des chantiers voisins avaient été abattus le mois précédent, à la suite d'une campagne pour l'élimination des races de chiens dangereuses.

Burden, en fait, se trouvait à huit kilomètres de là, s'entretenant avec Carol Fox et son époux, Raymond. Aux yeux de Burden qui, en général, ne faisait guère attention à l'apparence physique d'aucune femme excepté la sienne, Carol était simplement un peu plus attirante que la moyenne. Elle avait dans les trente-cinq ans, soit dix de moins que Heather, s'habillait de couleurs vives et débordait de vivacité. C'était Wexford qui l'avait décrite comme appartenant à cette catégorie de femmes qui semblent avoir naturellement plus de couleurs que les autres, avec ses cheveux d'un beau roux, sa peau claire et lumineuse, dont la teinte changeait de l'ivoire au rose, et ses yeux bleus comme des gentianes. Il n'avait fait aucun commentaire sur les couleurs, nullement naturelles celles-ci, qui décoraient à l'excès les lèvres de Mme Fox, ses ongles et ses paupières. Burden estima qu'elle était tout bonnement une « banlieusarde endimanchée, avec une voix affreuse ». En son for intérieur, il la trouvait terriblement vulgaire. Tout en elle semblait criard et exubérant, et c'était assez étrange qu'elle fût l'amie de la silencieuse Heather, réservée et même effacée comme une souris grise.

Son mari, auprès duquel elle était retournée après six mois de séparation, était maigre, avec de grandes dents et un regard tourmenté. Son allure générale était celle d'un représentant de commerce tout à fait ordinaire. Il semblait fier d'elle et exagérément ravi qu'elle lui fût revenue. Ce soir-là — moins d'une semaine après le meurtre —, il tenait visiblement à persuader Burden et quiconque voudrait l'entendre que les six mois de séparation d'avec sa femme n'avaient été qu'une sorte de « mise à l'épreuve », une expérience destinée à donner un second souffle à leur union. À présent, ils étaient de nouveau ensemble et c'était définitif. Cette séparation n'avait fait que révéler à quel point ils étaient malheureux l'un sans l'autre.

Carol ne disait rien. Burden lui ayant demandé de lui raconter à nouveau la succession d'événements du 10 octobre, elle répéta que Heather et elle avaient quitté la maison 18 h 20. Oui, elle avait vu un grand panier plein de bûches près de la porte de derrière. En revanche, elle n'avait pas remarqué s'il y avait de l'argent sur la table ou le buffet. Tom était en train d'essuyer la vaisselle quand elle était entrée, et au moment où elles étaient sorties il était bien en vie, occupé à ranger les assiettes dans le placard.

« J'aimerais avoir autant de chance que certaines femmes, ajouta-t-elle, avec un coup d'œil en direction de son mari qui n'était pas particulièrement affectueux.

— Aviez-vous de la sympathie pour Tom Peterlee, madame Fox ? »

Était-ce le produit de son imagination, ou l'expression sur le visage de Raymond Peterlee avait-elle presque imperceptiblement changé ? Dire qu'il s'était crispé aurait été excessif. Burden répéta sa question.

« Il était toujours aimable, répondit Carol. Mais je ne le voyais pas très souvent. »

Les résultats du laboratoire arrivèrent, révélant que dans les cendres du poêle on avait retrouvé un fragment d'os appartenant à un animal. Burden avait pu découvrir dès le premier soir ce que les Peterlee avaient mangé pour leur dîner : des côtes d'agneau, avec des pommes de terre

115

et du chou venant du potager que Tom cultivait lui-même. Les restes des repas étaient toujours jetés à la poubelle en attendant d'être déversés sur le tas de fumier, jamais brûlés dans le poêle. Quant aux os, cuits ou non, ils étaient placés dans l'écuelle du chien sur le seuil de la porte de derrière.

Qu'était-il advenu de l'argent ? Ce n'était pas une somme assez importante pour que l'on remarque la personne qui éventuellement la dépenserait. On fouilla la maison une deuxième fois. Les policiers scrutèrent le coffre-fort vide, notèrent que Heather ne possédait pas de bijoux, même de valeur modeste, ainsi que l'absence de livres ou même de journaux et de magazines, et de tout ce qu'on associe généralement aux petits plaisirs superflus.

Heather Peterlee vivait claquemurée chez elle et, quand on s'adressait à elle, ne répondait pas. Si on la questionnait, elle levait des yeux totalement inexpressifs et restait muette. Tout le monde estimait que ce mutisme était la conséquence du chagrin. Wexford, sans espérer en apprendre grand-chose, demanda à emporter la pellicule de l'appareil photo qui avait servi de presse-papiers pour les billets de banque. Elle haussa les épaules, marmonna qu'elle n'y voyait aucun inconvénient, et se tourna face au mur. Mais quand il examina l'appareil, il constata qu'il ne contenait aucune pellicule.

Burden estimait que les visites répétées de Wexford à Arlene Heddon étaient une obsession, et le divisionnaire qu'elles étaient une perte de temps. Depuis sa deuxième visite, elle avait donné chaque fois très précisément les mêmes réponses à chacune des questions qu'il lui posait, et qui étaient les mêmes que lors de ce deuxième

116

entretien. Il se demandait comment elle y parvenait. Ou bien c'était la vérité la plus limpide, ou bien ses souvenirs étaient d'une justesse absolue. Mais dans ce cas, comment expliquer que la deuxième fois ses réponses eussent différé de ce qu'elle avait dit la première fois qu'il l'avait interrogée ? Maintenant, la cohérence était parfaite.

Si elle avait fait à l'occasion un commentaire personnel, alors il y aurait peut-être eu du nouveau, mais cela n'arrivait presque jamais. Chaque fois qu'il parlait de Tom Peterlee en employant l'expression « votre beaupère », elle le corrigeait en lui disant : « Je l'appelais Tom », et s'il faisait allusion à Joseph et Monica comme son oncle et sa tante, elle lui faisait observer qu'ils n'étaient pas vraiment son oncle et sa tante. Quant à Carol Fox, c'était peut-être une grande amie de sa mère, il y avait peut-être des années qu'elles se connaissaient, mais c'était à peine si elle, Arlene, avait jamais rencontré Carol.

« On ne m'a jamais dit si Carol accompagnait ma mère ou non pour promener le chien, mais ça n'a rien d'étonnant. Carol ne m'intéressait pas. »

Quelquefois, Gary Wyatt était présent, mais quand Wexford arrivait il s'en allait aussitôt, en marmonnant à chaque fois une excuse : il avait quelqu'un à voir au sujet de quelque chose et il était déjà en retard. Un lundi — c'était en général le lundi et le jeudi que Wexford se rendait à la caravane —, il pria Gary de rester un moment. Avait-il réfléchi aux détails qu'il pourrait lui fournir sur ce qu'il avait fait entre 18 h 45 et 19 h 30 ce soir-là ? Non, Gary n'y avait pas réfléchi. Il était au pub, The Red Rose, à Edenwick.

« Personne ne se rappelle vous y avoir vu.

— C'est leur problème.

— Ça pourrait devenir le vôtre, Gary. Vous n'aimiez pas Tom Peterlee, n'est-ce pas ? N'est-il pas exact que Tom a refusé que vous et Arlene occupiez la caravane où a ensuite vécu Mme Fox parce que vous aviez abandonné votre femme et vos enfants ?

— C'est l'hôpital qui se fout de la charité !

— Que voulez-vous dire ? »

Rien. Il ne voulait rien dire. Cela n'avait rien à voir avec Tom. Un sourire traversa le visage d'Arlene et disparut aussitôt. Gary partit parce qu'il avait quelqu'un à voir au sujet de quelque chose et qu'il était déjà en retard, et Wexford commença à poser ses questions sur le comportement de Heather lorsqu'elle était revenue de sa promenade.

« Elle ne s'est pas jetée sur son corps, dit Arlene sans sourciller et, semblait-il, sans l'ombre d'une émotion. Elle s'est agenouillée et elle a pris sa tête entre ses bras. C'est pour ça qu'elle avait du sang sur elle. Carol et moi, nous l'avons relevée, et alors elle a commencé à se frapper la tête contre un des compteurs. »

C'était la même chose que la dernière fois, toujours exactement la même chose.

Aucun appel à témoins n'avait été lancé. Des témoins de quoi ? L'alibi de Heather Peterlee lui avait été fourni par Carol Fox, et Wexford ne voyait pas de raison pour laquelle elle aurait pu mentir, ou pour laquelle les deux femmes auraient pu être de connivence. Carol était peut-être une grande amie de Heather, mais pas au point de se rendre coupable de faux témoignage pour sauver une femme qui avait sans motif assassiné un mari parfait.

Il s'interrogeait sur le fragment d'os trouvé dans le poêle. Mais les Peterlee avaient un chien, et il n'y avait rien d'invraisemblable à ce qu'un os destiné au chien eût abouti par hasard dans le panier de bûches. C'était un peu curieux, oui, mais il n'était pas rare que des choses non seulement curieuses mais à première vue inexplicables se produisent. Il avait, en revanche, toujours du mal à admettre qu'Arlene avait immédiatement tenu pour acquis que sa mère était sortie promener le chien en compagnie de Carol Fox, alors que c'était à peine si elle semblait savoir que Carol vivait à la ferme. Et il n'avait jamais pu vraiment avaler toute cette histoire au sujet de Heather se cognant la figure contre le compteur. Carol avait seulement dit : « Oh, oui, c'est vrai », et Heather elle-même avait mis la main devant sa bouche et tourné son visage vers le mur.

Puis il se produisit quelque chose de surprenant, et tout commença à changer.

Un homme âgé, qui était un client régulier de la boutique de la ferme Feverel, demanda à parler à Wexford. C'était un veuf qui faisait lui-même ses courses et sa cuisine et vivait d'une pension de l'État et d'une autre que lui versait la Compagnie des eaux du Mid-Sussex.

Frank Waterton — c'était son nom — commença par s'excuser longuement : il était sûr que ce qu'il avait à dire était sans importance, qu'il avait très probablement tort de déranger Wexford, mais voilà : c'était une question qui le hantait depuis un certain temps. Cela faisait même des semaines qu'il se promettait de faire quelque chose à ce sujet, mais il ne savait pas vraiment quoi. C'était la raison pour laquelle il n'avait finalement rien fait du tout jusqu'à aujourd'hui.

« De quoi s'agit-il, monsieur Waterton ? Le mieux serait de me le dire tout de suite et de me laisser juger par moi-même si c'est sans importance ou non. »

Le vieux monsieur le regarda d'un air presque craintif.

« Soyez tranquille. Même si cela n'a vraiment aucune importance, personne ne vous fera de reproches. De toute façon, vous aurez fait votre devoir dans un esprit de civisme. »

Jusque-là, Wexford ne savait même pas que ce qui avait poussé M. Waterton à venir était en rapport avec l'affaire Peterlee. Comme il avait l'intention de rendre une de ses visites bi-hebdomadaires à Arlene Heddon, il était impatient d'en finir et faisait de son mieux pour que son impatience ne fût pas perceptible.

« Il s'agit de ce que j'ai observé une ou deux fois lorsque je suis allé acheter des fruits et des légumes à la ferme Feverel », dit-il.

Aussitôt, l'agacement de Wexford cessa et il ne se soucia plus de l'heure à laquelle il passerait voir Arlene.

« La première fois, ce devait être en juin. Je suis même sûr que c'était en juin, parce qu'ils vendaient des fraises. Je la revois encore très clairement en train de chercher une jolie barquette bien pleine sur l'étal des fraises, et quand elle a relevé la tête... Eh bien, j'ai eu un choc. Vraiment un choc. Elle était pleine de bleus, comme si quelqu'un l'avait frappée. Elle avait un œil au beurre noir et une entaille à la joue. Je lui ai dit : "Vous revenez du front, madame Peterlee ?" Elle m'a répondu qu'elle était tombée et qu'elle s'était cogné le visage contre l'évier.

— Vous dites que c'était la première fois.

— Oui. Je l'ai plus ou moins crue quand elle m'a dit

120

ça, mais pas la fois suivante. J'étais allé acheter des pommes Cox, on commençait à les récolter, donc ce devait être vers la fin septembre. Elle avait de nouveau le visage couvert de bleus. Et un bandage autour du poignet. Je n'ai fait aucune remarque, cette fois-là. Je crois que ç'aurait été... Comment dire ? Un manque de tact. Mais voyez-vous, il m'a semblé que je devais en parler à quelqu'un. Depuis le jour où j'ai appris qu'on avait assassiné Tom Peterlee, c'est une pensée qui me hante. J'ai beaucoup hésité, je me disais que je me mêlais peut-être de ce qui ne me regardait pas. Si ç'avait été elle qu'on avait retrouvée assassinée, alors je serais venu vous voir en quatrième vitesse, croyez-moi. »

Il réussit à frapper à la porte d'Arlene avec seulement un quart d'heure de retard sur l'heure prévue. Comme il était véritablement fasciné de l'entendre lui faire toujours exactement les mêmes réponses, comme un perroquet — à ceci près que la voix qu'imitait ce perroquet était la sienne —, il lui posa une fois de plus la même série de questions. Mais il garda pour la fin celle qui concernait les bleus sur le visage de sa mère, pour ménager un effet de totale surprise.

D'abord, elle lui ressortit la même rengaine que d'habitude.

« Elle s'est agenouillée et elle a pris sa tête entre ses bras. C'est pour ça qu'elle avait du sang sur elle. Carol et moi, nous l'avons relevée et alors elle a commencé à se frapper la tête contre un des compteurs.

— Est-ce qu'elle s'est aussi frappé la tête contre le compteur au mois de juin, mademoiselle Heddon ? Et aussi en septembre ? Savez-vous pourquoi elle avait un poignet bandé à cette époque-là ? »

121

Arlene Heddon n'en savait rien. Elle le regarda droit dans les yeux, le fixa sans ciller, et déclara qu'elle n'en savait rien.

« Je ne l'ai jamais vue avec un poignet bandé. »

Il détourna volontairement les yeux de son regard hypnotique et regarda autour de lui. Il y avait quelques nouveautés dans la caravane. Gary et elle s'étaient procuré un micro-ondes depuis sa dernière visite. Une bouilloire électrique flambant neuve avait remplacé la vieille bouilloire chromée. Des cadeaux de Mamie Peterlee ? La vieille sorcière avait la réputation d'avoir un bas de laine bien rempli. On disait que ses fils n'avaient jamais vu un sou des coquettes sommes qu'on lui avait versées lorsqu'elle avait vendu plusieurs hectares de ses terres à des promoteurs immobiliers. Il avait remarqué une nouvelle voiture garée devant le wagon transformé en cottage, et il n'aurait pas été surpris d'apprendre qu'elle en changeait au moins tous les deux ans.

« La semaine prochaine, je viendrai mardi et non pas lundi, mademoiselle Heddon, dit-il en partant.

— Comme vous voudrez.

— Est-ce que Gary a trouvé du travail ?

— Du travail ? Quel travail ? Vous voulez rire.

— Peut-être. Peut-être qu'il y a quelque chose de parfaitement risible dans l'idée que l'un ou l'autre d'entre vous puisse travailler un jour. Y avez-vous jamais pensé ? Je veux dire, à gagner votre vie ? »

Elle referma la porte, non sans une certaine violence.

Ensuite, des renseignements pris auprès des personnes qui connaissaient les Peterlee amenèrent de nombreuses descriptions de blessures visibles sur le corps et le visage de Mme Peterlee. Des clientes qui se fournissaient régulièrement à la boutique de la ferme se souvenaient de son poignet bandé. L'une d'entre elles mentionna un œil au beurre noir causé par un coup si violent que Heather avait l'œil complètement fermé, et le lendemain elle l'avait dissimulé sous un bandeau. Un autre jour, elle avait expliqué la présence d'une vilaine marque sur sa lèvre supérieure en prétendant que c'était la trace d'un bouton de fièvre, mais la femme à qui elle avait dit cela ne l'avait pas crue.

Le mythe du mari parfait commençait à s'effriter sérieusement. Seuls les Peterlee eux-mêmes continuaient à soutenir qu'il n'y avait rien de vrai dans ces soupçons. Monica Peterlee, quand Burden aborda le sujet avec elle, parut saisie d'une frayeur qui la rendit muette. C'était comme s'il avait appuyé son doigt sur le point le plus douloureux d'une blessure et réveillé tout ce qui était à son origine.

« Je ne veux pas parler de ça. Personne ne peut m'y obliger. Je ne sais rien et je ne veux rien savoir. »

Joseph réagit comme si les suppositions de la police n'étaient qu'une monstrueuse calomnie à l'égard de son frère défunt. Il tempêta :

« Je vous conseille de faire très attention à ce que vous insinuez. Mon frère est mort et il ne peut plus se défendre, alors vous vous imaginez que vous pouvez raconter n'importe quoi sur son compte. Mais les policiers ne sont plus des dieux, vous devriez le savoir. Il n'y a pas un soir où on n'en ait pas la preuve en regardant la télé : une nouvelle bande de flics véreux inculpés parce qu'ils ont écrit eux-mêmes des dépositions où tout était inventé ou qu'ils ont raconté un tas d'histoires sur des choses qui ne se sont jamais passées. »

123

Sa femme le regardait de la façon dont une souris recroquevillée dans un coin regarde un chat qui l'a temporairement perdue de vue. Burden n'avait pas l'intention de questionner Heather. On fit mine de ne pas du tout s'occuper d'elle, tout en commençant à rassembler les éléments pouvant l'accuser.

« Que ferais-tu si ton mari te battait ? demanda Wexford à sa femme.

— Parles-tu de toi en particulier ou de n'importe quel mari ? »

Il sourit.

« Pas moi. Disons plutôt un homme que tu n'as pas épousé, mais que tu aurais pu épouser.

— Eh bien, je sais que la réponse spontanée de toutes les femmes à cette question est qu'elles ne le toléreraient à aucun prix. "S'il le faisait ne serait-ce qu'une seule fois, il n'aurait plus jamais l'occasion de le refaire une deuxième fois", ce genre de phrases. Mais c'est peut-être un peu simpliste. Sont-elles si sûres de savoir ce qu'elles feraient s'il était torturé par le remords ensuite, par exemple, ou du moins s'il en avait l'air. Ou bien si elles n'avaient pas d'autres moyens de subsistance ou d'endroit où se réfugier. S'il fallait songer aux enfants. Et même, si ça ne te paraît pas trop absurde, si elles l'aimaient trop pour le quitter.

— Est-ce que tu pourrais, toi ? Continuer à aimer un homme qui te battrait ?

— Ça, Dieu seul le sait ! Je ne peux pas te répondre. Les femmes sont étranges. Les êtres humains en général sont étranges.

— Tu m'as dit : "Il n'aurait plus jamais l'occasion de le refaire une deuxième fois." Je me demande s'il n'arrive

124

pas un jour où la dernière goutte fait déborder le vase, si bien qu'il n'a plus l'occasion de le faire une vingt-deuxième ou une trente-deuxième fois. »

Jenny Burden se contenta de répondre qu'elle ne se serait jamais trouvée dans pareille situation. Elle aurait deviné le risque avant de se marier.

« Une manière dont elle aurait pu le deviner, remarqua Wexford quand son mari lui fit part de sa réaction, aurait été de se renseigner sur le comportement de son futur beau-père. Il y a beaucoup de vrai dans ce que disent les psychologues au sujet de l'enchaînement de la violence domestique entre les générations. Les enfants victimes de violences sexuelles ont tendance à exercer les mêmes violences sur leurs propres enfants. Mais est-il également vrai que les fils qui ont vu leur père battre leur mère battent ensuite leur propre femme ? Est-ce qu'ils adoptent le même comportement, en considérant que c'est la norme dans les relations conjugales ?

— Ne m'as-tu pas dit que la vieille Mme Peterlee t'avait raconté que son mari avait l'habitude de lui taper dessus jusqu'au jour où elle l'a menacé avec un couteau de cuisine ? »

Wexford hocha la tête.

« Pour elle, c'est ce jour-là que la dernière goutte a fait déborder le vase, et elle s'est rebiffée. Plus tard, quand il est mort, elle est allée danser sur sa tombe, Mike. Je me demande si Heather a envie d'aller danser sur celle de Tom. »

Le jour qui suivit le troisième raid en voitures-bélier — cette fois au Kingsbrook Centre, une arcade commer-

ciale presque en plein centre de Kingsmarkham —,
Wexford était de nouveau dans la caravane d'Arlene
Heddon, et Arlene lui répétait :

« Je n'ai jamais vu ma mère avec un poignet bandé.

— Mademoiselle Heddon, vous savez parfaitement
que votre beau-père battait régulièrement votre mère. Il
la frappait violemment, la laissait avec un œil au beurre
noir ou des contusions sur le visage. Son frère Joseph fait
très certainement subir le même traitement à sa femme.
Qu'avez-vous à gagner en prétendant que vous n'en
saviez rien ?

— Elle s'est agenouillée par terre, elle a soulevé sa
tête et elle l'a prise entre ses bras. C'est pour ça qu'elle
avait du sang sur elle. Ensuite, Carol et moi nous l'avons
relevée et elle a commencé à se frapper... »

Wexford l'arrêta.

« Non, mademoiselle Heddon. Elle avait ces bleus sur
le visage parce que Tom l'avait frappée. Je ne sais pas
pour quelle raison. Vous le savez ? C'était peut-être à
cause de l'argent, la recette de la journée qu'il avait posée
sur le buffet. Ou peut-être avait-elle protesté parce qu'il
avait décidé d'augmenter le loyer de son amie Carol.
Quoi qu'il en soit, si votre mère n'était pas d'accord avec
lui et le manifestait, il réagissant en la frappant. Pour lui,
c'était une habitude.

— Puisque vous le dites.

— Non, mademoiselle Heddon. Ce n'est pas ce que je
dis qui importe. C'est ce que vous dites. »

Il s'attendait qu'elle lui répondît en répétant : « Je n'ai
jamais vu ma mère avec un poignet bandé », mais elle
leva brusquement les yeux et il aurait pu jurer qu'il y avait
une lueur d'amusement dans son regard, comme une étin-

celle qui y était passée avant de disparaître. Ce qu'elle lui dit le stupéfia. C'était bien la dernière chose à laquelle il s'attendait. Elle tripota quelques secondes la télécommande sur la demi-cloison à côté d'eux, leva soudain les yeux et prononça lentement :

« Carol Fox était la petite amie de Tom. »

Il digéra ce qu'il venait d'entendre, perçut confusément une kyrielle d'implications possibles, et demanda :

« Qu'entendez-vous précisément par cette expression, mademoiselle Heddon ? »

Son ton fut presque dédaigneux.

« Ce que tout le monde entend. Sa petite amie. Sa maîtresse. Ce que je suis pour Gary. »

« Ça ne servirait pas à grand-chose de le nier, n'est-ce pas ? dit Carol Fox.

— Je suis surpris que vous n'ayez pas porté ce fait à notre connaissance, monsieur Fox », dit Wexford.

Voyant que son mari ne répondait rien, Carol reprit la parole impatiemment.

« Oh, c'est parce qu'il a honte. Il s'imagine que c'est un affront à sa virilité ou je ne sais quoi. Je lui ai pourtant dit : c'est impossible de garder secrète une chose comme ça, alors à quoi bon essayer de faire semblant de rien ?

— Devant nous, vous l'avez délibérément gardée secrète pendant un mois. »

Elle haussa les épaules, nullement repentante.

« Je me sentais un peu gênée par rapport à Heather, pour vous parler franchement. Ce que Tom m'avait dit au départ, c'était que je pouvais occuper la caravane, mais il en avait parlé comme si elle était garée quelque part au

127

milieu de ses champs. Il ne m'avait jamais dit qu'elle était à trois pas de la maison. Maintenant, je sais qu'il y a quatre ou cinq ans, il avait ramené une autre fille qui habitait carrément dans la maison. Il l'appelait la fille au pair. La fille au pair ! Comme si la famille Peterlee n'était pas des gens qui vivaient comme des romanichels il n'y a pas plus d'une ou deux générations, quand on y regarde d'un peu près.

— Alors, je présume que la visite qu'il vous a rendue ce soir-là n'avait pas grand-chose à voir avec le montant du loyer ? »

Le mari se leva et quitta la pièce. Wexford n'essaya pas de le retenir. Sa présence n'avait pas rendu sa femme particulièrement pudique, mais son départ lui délia la langue encore davantage. Elle eut un petit sourire.

« Ce n'était pas ce que vous pensez. Nous avons seulement pris un verre.

— C'est tout de même un peu curieux qu'aussitôt après vous soyez sortie faire une promenade avec sa femme, vous ne trouvez pas ? Ou bien dois-je comprendre qu'elle ne savait rien ? Franchement, c'est difficile à croire, madame Fox.

— Bien sûr, elle savait. Elle me détestait. Et je ne peux pas dire que je la portais spécialement dans mon cœur. Ce n'est pas vrai que nous sortions souvent nous promener ensemble. La promenade de ce soir-là, c'est moi qui avais insisté pour la faire, parce que je voulais lui parler. Je voulais lui dire que je partais, que c'était terminé entre Tom et moi, que je retournais vivre avec Ray. »

Elle respira profondément.

« Pour être tout à fait honnête avec vous, cette histoire entre Tom et moi, c'était purement physique. Le corps qu'il avait ! Entre vous et moi, je n'étais jamais rassasiée tellement j'avais envie de lui. Peut-être que, d'une certaine façon, tout s'est arrangé pour le mieux. En fait, ça n'aurait pas du tout été la même chose si Tom avait dit qu'il voulait la quitter pour moi, mais il ne voulait pas et moi, j'en avais par-dessus la tête de cette vie. »

Quand Burden et lui remontèrent en voiture, Wexford remarqua :

« Je commençais à penser que l'alibi de Heather prenait l'eau. Je me disais qu'au fond, c'était très possible que sa meilleure amie mente pour la couvrir. Mais plus maintenant. Je ne vois pas la maîtresse de Tom fournissant un alibi à la femme qui était justement en travers de son chemin.

— Non, sûrement pas. Surtout si la femme en question venait d'assassiner l'homme qu'elle aimait, ou du moins qu'elle avait aimé. Apparemment, nous voilà revenus à la case départ.

— En fait, y a-t-il quelqu'un d'autre que Heather qui ait un mobile pour tuer Tom ? Qu'est-ce qu'Arlene et Gary Wyatt avaient à y gagner ? Rien. Évidemment, la propre mère de Tom me paraît capable de tout, mais uniquement dans la limite de ses forces physiques, et je ne crois pas qu'à son âge elle aurait eu assez de force pour assommer un homme à coups de bûche. Joseph ne tire aucun bénéfice de la mort de son frère, puisque c'est Heather qui hérite de la ferme, et il est clair que la seule chose que Monica désire, c'est une vie aussi tranquille que possible. Donc, nous voilà ramenés à l'hypothèse du vagabond qui rôde dans la campagne à la nuit tombée et assomme les fermiers pour trois cent soixante livres. »

Le matin suivant, une enveloppe lui fut adressée au commissariat. Elle ne contenait qu'un récépissé à l'entête d'un photographe du York Crest Centre, mentionnant le dépôt d'une pellicule à développer et le paiement d'une livre pour la caution réglementaire. Wexford avait deviné d'où provenait cette pellicule avant même d'envoyer le sergent Martin chercher les clichés développés chez le photographe. On était mardi et, dans sa caravane, Arlene recommença à jouer les perroquets.

« J'ai quitté la maison de ma mère quand j'avais dix-sept ans. Je ne connais pas toutes les amies qu'elle a. Et, bien sûr, je ne savais pas s'il arrivait à Carol de sortir le chien toute seule, ou rien de ce genre. Je sais que ma mère le faisait et que Tom le faisait quelquefois aussi. On ne m'a jamais dit si Carol accompagnait ma mère ou non, mais ça n'a rien d'étonnant. Je ne m'intéressais pas à Carol.

— Voilà qui atteint les proportions d'une vraie psychose, mademoiselle Heddon. »

Elle savait ce qu'il voulait dire par cette phrase. Il n'avait pas besoin de le lui expliquer. Il voyait dans ses yeux qu'elle comprenait, et un petit sourire satisfait s'esquissait sur ses lèvres. D'autres auraient demandé quand tout cela finirait, quand on les laisserait enfin tranquilles. Pas elle. Elle ferait les mêmes réponses à ses questions indéfiniment, et toutes les trois ou quatre semaines laisserait tomber une bombe, comme lorsqu'elle lui avait révélé la vraie place de Carol Fox dans la vie des Peterlee. À supposer, bien sûr, qu'elle eût d'autres bombes en réserve.

Il frappa à la porte de la vieille sorcière. Après un laps de temps assez long, elle vint lui ouvrir. Elle ne l'invita pas à entrer, et il vit qu'elle n'était pas seule. Un homme âgé, à barbe blanche mais portant un jean et des bottes de cowboy, se tenait près de la cheminée et versait le contenu d'une bouteille de vin à demi vide dans deux verres.

Elle fit un sourire qui fissura son visage d'un millier de petites rides et découvrit ses dents superbes.

« J'avais un peu de temps devant moi, madame Peterlee, et j'ai pensé que je pourrais l'utiliser à vous rendre visite et à vous redemander où vous vous trouviez entre 18 heures et 19 h 30 le soir où votre fils a été tué. »

Elle pencha la tête d'un côté.

« Je crois que je vous ai posé à tous une belle devinette, pas vrai ?

— Et maintenant, vous allez m'en donner la solution, dit-il patiemment.

— Pourquoi pas ? »

Elle regarda par-dessus son épaule et cria, d'une voix absurdement forte eu égard à la distance :

« Si celle-ci est finie, Eric, va donc en ouvrir une autre. Il y en a une sur la table de la cuisine. »

Elle gratifia Wexford d'un clin d'œil.

« J'étais avec mon petit chéri. Lui. Dans sa maison. Je m'arrête toujours pour un petit coup en vitesse avant d'aller en ville. »

Il s'en fallut de peu qu'elle ne le fît rougir comme une jeune fille effarouchée.

« Un petit coup à boire, précisa-t-elle. Vous pouvez lui demander si ce n'est pas vrai quand il reviendra. Vous êtes des grossiers personnages, vous les flics. Je sais bien à quoi vous pensez : c'est écrit en toutes lettres sur votre figure. Vous savez, il m'épouserait demain, si je voulais. Seulement, j'ai été prise au piège une fois et ça m'a rendue prudente, croyez-moi. C'est un vrai petit ange maintenant, doux comme un agneau, mais ça n'empêche

131

pas qu'une fois qu'ils vous ont passé la bague au doigt, le plus souvent c'est une tout autre histoire ! Un autre bonhomme qui me foutrait des torgnoles parce que le dîner est en retard de cinq minutes ? Non merci !

— Est-ce que c'est pour ça que Tom battait Heather ? Parce qu'elle lui servait son dîner en retard ? »

Si ces mots l'avaient prise au dépourvu, elle n'en montra rien.

« Allons donc ! Ils n'ont pas besoin d'une raison, il suffit qu'ils aient bu un coup de trop ! Tout ce qui compte, c'est que vous êtes là, que vous êtes moins forte qu'eux et qu'en plus ils voient que vous avez peur. Ça leur suffit. Pas besoin de me regarder comme ça. Si ce que je dis ne vous plaît pas, c'est parce que vous êtes un homme. Il faudrait que vous ayez été du côté qui prend les baffes pour comprendre. Oui, oui, Eric, j'arrive ! »

Maintenant qu'il ne la soupçonnait plus et qu'il l'avait laissée tranquille pendant un mois, il se rendit à la ferme Feverel pour parler à Heather Peterlee. C'était le soir du quatrième raid en voitures-bélier, que la police avait prévu lorsqu'on lui avait rapporté le vol d'une Volvo Estate et d'une Land Rover pendant la journée. Mais ce n'était que trois ou quatre heures plus tard que les voleurs devaient se lancer à l'attaque.

Les femmes battues ont quelque chose en commun dans leur apparence. Wexford se reprocha de ne l'avoir pas remarqué chez Heather la première fois qu'il était venu à la ferme. Cette apparence commune n'a rien à voir avec les traces de coups ni avec une manière timide ou peureuse de réagir ou de se mouvoir. C'était plutôt, se dit-il, cet air accablé, sans force, exténué qui dévoilait tout, pour peu qu'on sût ce qu'on cherchait à dévoiler.

Elle était maigre, mais sans la juvénile et vigoureuse sveltesse de sa fille ou la robustesse de sa belle-mère. Cette maigreur s'observait surtout dans les muscles ramollis de ses bras et de ses poignets tendineux. Ses joues étaient creusées sous ses pommettes saillantes et sa bouche déjà affaissée aux coins. Les bénéfices de quelques semaines sans les brutalités de Tom n'étaient pas encore apparus. Heather Peterlee s'était négligée et avait négligé sa maison, elle avait peut-être passé ces premiers temps de son veuvage à se morfondre en silence dans cette sombre et laide bâtisse, avec seulement un épagneul pour compagnie.

Le chien gronda et se mit à aboyer quand Wexford entra. Pour le faire taire, elle le frappa sur le museau, inutilement fort. La violence engendre la violence, pensa-t-il. On la subit, on l'emmagasine en soi, puis on s'en décharge sur toute personne ou toute créature plus faible que soi.

Mais même à présent, elle niait. Assise en face de lui dans une robe de coton sans couleur, avec un épais cardigan tricoté jeté sur ses épaules, elle se rebella énergiquement contre toute suggestion que Tom avait pu être un mari au caractère moins doux qu'on avait cru. Quant à Carol, eh bien oui, il était exact que c'était Tom qui lui avait offert d'habiter dans la caravane et non pas elle. Un ami avait dit à Tom qu'elle cherchait un endroit où se loger provisoirement. Quel ami ? Elle ne savait pas son nom. Et la « demoiselle au pair » ?

« Vous avez parlé à ma fille. »

Wexford reconnut que c'était en effet le cas, mais sans préciser avec quel degré d'obstination il lui avait parlé.

« Arlene s'imagine des choses. Elle a trop d'imagination. »

Une étincelle de vitalité provoquait en elle un léger changement quand elle parlait de sa fille. Sa voix devenait un rien plus animée.

« Elle est très intelligente, Arlene. Elle en a, dans la tête ! Elle voulait entrer dans la police, vous savez.

— Pardon ?

— Elle voulait devenir femme policier. Je ne sais pas comment on les appelle, maintenant.

— Officier de police, dit Wexford. Alors, votre fille voulait devenir officier de police ? Qu'est-ce qui lui a fait changer d'avis ?

— Elle s'est mise en ménage avec ce Gary, vous savez bien. »

Ce n'était pas vraiment une réponse, mais Wexford n'insista pas. Il ne posa pas non plus de questions à Heather sur la liaison de son mari avec Carol Fox. Il avait la preuve que cette histoire n'était pas une invention d'Arlene, non seulement parce que Carol avait elle-même reconnu que c'était la vérité mais aussi grâce à la pellicule développée de l'appareil de Tom Peterlee. C'étaient toutes des photographies de Carol, dont trois nus pris dans la caravane de la ferme Feverel. Ces nus étaient d'ailleurs relativement bienséants, sans rien qui pût légitimement scandaliser le photographe chargé de les développer, car Carol avait adopté des poses assez pudiques, et elle faisait même preuve d'une certaine grâce dans sa manière de se tenir de trois quarts en souriant à l'objectif par-dessus son épaule.

Dans la soirée, il examina de nouveau ces trois clichés. C'était leur décor, non leur sujet voluptueux qui leur donnait quelque chose de minable. L'arrière-plan plutôt sordide — une fenêtre où un rideau en nylon pendait d'un cordon mal tendu, un imperméable accroché à une patère, le rebord d'une casserole pas lavée sur une plaque chauffante — donnait l'impression qu'on avait tenté de faire de la pornographie dans un studio improvisé. Wexford estimait que l'art érotique, quelque forme qu'il prît, exigeait l'absence de tout élément de laideur, et Carol Fox n'avait abouti qu'à cet exploit en somme fort commun : être sexy sans beauté.

Non que l'espoir d'éprouver une quelconque excitation eût été la raison pour laquelle il avait regardé de si près ces clichés. Il les observait froidement, et même avec une certaine tristesse. L'identité de la personne qui lui avait envoyé le récépissé du photographe n'était pas mystérieuse. Il l'avait devinée, non pas peut-être à l'instant où il avait reçu l'enveloppe, mais en tout cas longtemps avant que le laboratoire d'expertise n'eût étudié les empreintes sur le papier. Il savait très bien qui avait posé la pellicule sur le comptoir et payé la caution d'une livre. Et ce n'était même pas le sujet des photos qui l'intéressait particulièrement à présent. La tristesse qui l'avait brièvement envahi se dissipa et, tout à coup, il se sentit absolument dispos. Grâce à ces clichés, il avait soudain compris qui avait tué Tom Peterlee et pourquoi.

La police attendait, encerclant presque le Kingsbrook Centre, quand les voitures-bélier arrivèrent. Cette fois, les voleurs n'étaient que quatre, tous à l'intérieur de la Land Rover volée. Si d'autres les avaient suivis dans les rues étroites du centre ville, un quelconque avertissement avait dû les mettre en alerte et leur faire rebrousser chemin. Il se pouvait que ce fût le même avertissement — rien de plus, peut-être, que l'instinct ou l'intuition — qui poussa le conducteur de la Land Rover à faire halte au milieu de la cour pavée au-delà de laquelle s'ouvraient les portes de l'arcade commerciale.

Tout d'abord, les hommes qui montaient la garde crurent seulement que le conducteur voulait reculer et prendre de l'élan avant d'aller fracasser les grandes portes vitrées. Il leur fallut quelques secondes avant de comprendre qu'il faisait un demi-tour en trois manœuvres : sans doute allait-il revenir vers le mur de briques autour de la cour et, de là, s'élancer vers les portes en reculant. Mais, alors qu'ils se préparaient au fracas des portes volant en éclats, la Land Rover repartit et, en un instant, elle était presque au bout de l'étroite allée reliant le centre commercial à la Grand-Rue.

Elle ne l'atteignit pas. Elle s'arrêta net et ses occupants ouvrirent précipitamment les quatre portes, descendirent d'un bond et se dispersèrent, la laissant là pour bloquer le passage. La police, sur place en moins de trente secondes, ne trouva qu'un véhicule vide, où nul n'avait laissé la moindre trace de sa présence hormis son propriétaire, et où l'on ne découvrit aucune empreinte.

Il dit à Burden, avant de partir pour procéder à l'arrestation :

« Tu vois, elle nous avait dit qu'elle ne possédait pas d'imperméable, et en effet nous n'en avons pas trouvé, mais sur cette photo on distingue très bien un imperméable accroché à une patère dans la caravane. »

Burden lui prit la loupe des mains et se pencha sur le cliché.

« Vert émeraude, avec des boutons en os en partie blancs et en partie bruns.

— Elle a dû entrer dans la cuisine à l'heure qu'elle nous a indiquée, ou peut-être cinq minutes plus tôt. Je pense que c'était vrai qu'elle avait décidé de mettre fin à sa liaison avec Tom. En revanche, cette idée de sortir faire une grande promenade avec Heather pour le lui dire, c'est de l'invention. Elle portait son imperméable parce qu'il y avait déjà de la bruine, peut-être aussi parce qu'elle savait qu'il lui allait bien. Elle venait dire à Heather que tout était fini entre Tom et elle, qu'elle pouvait reprendre son mari, et bon débarras.

« Savait-elle que Tom battait sa femme ? Peut-être que oui, peut-être que non. Ce qui est sûr, c'est qu'elle pensait que si jamais Tom et elle avaient vécu ensemble de façon permanente, il ne l'aurait pas battue, elle ! Mais ceci est hors de propos. Elle est entrée dans la cuisine et elle a vu Heather coincée contre le buffet pendant que Tom la frappait au visage.

« On dit qu'une femme ne peut pas vraiment se défendre contre un homme qui la bat, mais qu'une autre femme peut venir à sa rescousse. Qu'est-ce qui s'est emparé de Carol Fox à ce moment-là, Mike ? La fureur à l'état pur ? La rage d'une désillusion totale à l'égard de Tom Peterlee ? Une montée de violence générée par la grande solidarité entre les femmes face à la brutalité des hommes ? Nous le saurons peut-être un jour. Elle a pris une bûche dans le panier, une grosse bûche bien lourde et bien dure, et elle l'a frappé sur la tête avec ça. Un premier coup, un deuxième... Une fois qu'elle avait commencé, elle n'a plus pu s'arrêter. Elle a continué avec une sorte de frénésie, jusqu'à ce que mort s'ensuive.

137

— L'une des deux, observa Burden, et à mon avis c'est certainement Carol, tu ne crois pas ? l'une des deux a ensuite agi avec beaucoup de présence d'esprit. Elle a tout de suite planifié ce qu'il fallait faire. Carol a enlevé son imperméable qui était couvert de sang et l'a fourré avec la bûche dans le poêle allumé. Quand nous sommes arrivés, environ une heure plus tard, tout était réduit en cendres, excepté un fragment d'un des boutons.

— Carol s'est lavé les mains, a enfilé un imperméable appartenant à Heather, et elles sont sorties en descendant vers la rivière avec le chien. Nous avions toujours imaginé que peut-être Carol protégeait Heather en lui fournissant un alibi, mais en réalité c'était tout le contraire. C'était Heather qui fournissait un alibi à Carol. Il était décidé qu'elles resteraient à distance de la ferme pen-dant trois quarts d'heure, puis qu'elles reviendraient et "découvriraient" le corps. Ou peut-être même comptaient-elles essayer de s'en débarrasser, de nettoyer la cuisine et de prétendre ensuite que Tom était parti. Ce qu'elles n'avaient pas prévu, c'était l'arrivée d'Arlene.

— Mais Arlene est arrivée une heure en avance, dit Burden.

— Arlene a aussitôt supposé que c'était sa mère qui avait commis le meurtre, et la raison pour laquelle elle l'avait fait a dû lui sembler évidente. La souris grise recroquevillée dans son coin était passée à l'attaque quand l'attention du chat était distraite. Brusquement, elle avait senti qu'elle n'en pouvait plus, comme Mamie Peterlee avait senti qu'elle n'en pouvait plus le jour où son mari l'avait frappée une fois de trop et où elle l'avait menacé avec le couteau de cuisine. »

Il tint, en substance, les mêmes propos à Arlene Heddon le lendemain, après que Carol Fox eut été inculpée pour meurtre.

« Vous ne m'avez parlé de sa liaison avec Tom que lorsque vous avez pensé que les choses prenaient une mauvaise tournure pour votre mère. Votre raisonnement était que si la maîtresse d'un homme donnait à l'épouse de son amant un alibi, cet alibi ne risquait guère d'être mis en doute. Et dans le cas où je ne vous aurais pas cru et où Carol aurait nié les faits, vous m'avez fait parvenir le récépissé que vous avait donné le photographe lorsque vous lui avez apporté la pellicule que vous aviez prise dans l'appareil de Tom Peterlee pour la faire développer. Je suppose que votre mère vous avait dit quel genre de photos il prenait. »

Elle haussa les épaules et dit d'un ton plutôt agacé :

« Vous n'êtes pas aussi malin que vous le pensiez. Vous m'avez dit et redit que je savais qui avait tué Tom. Je n'en savais rien du tout, je croyais que c'était ma mère. »

Il promena son regard autour de lui sur les divers objets dont la caravane était équipée. Ses yeux se posèrent successivement sur le volumineux radiocassettes, le micro-ondes, le magnétoscope, et s'arrêtèrent enfin sur le petit rectangle de plastique noir qu'il avait pris jusque là, sans jamais l'examiner de près, pour une télécommande. Soudain, il songea à quel point il faudrait être paresseux, handicapé même, pour éprouver le besoin de changer de chaînes de cette façon. Presque partout où on se trouvait dans cette caravane, on n'avait qu'à tendre le bras pour toucher le téléviseur. Il prit le petit objet dans ses mains.

C'était un magnétophone miniaturisé, d'environ douze centimètres de long et deux d'épaisseur. Le côté où était allumé le petit voyant rouge indiquant que l'appareil était en marche était et avait toujours été tourné du côté du coin cuisine, invisible de l'endroit où il s'asseyait.

Elle avait eu une si grande confiance dans sa maîtrise des événements, et peut-être dans la supériorité de son intelligence, qu'elle n'avait même pas pris la peine de décoller la minuscule étiquette sur le côté. Nixon's, York Crest Centre, £ 54,99. Il était bien certain qu'Arlene n'avait pas déboursé cinquante-cinq livres pour l'acheter.

« Vous ne pouvez pas emporter ça ! »

Tout à coup, elle perdait son sang-froid.

« Je vous laisserai un reçu », dit-il.

Puis :

« Évidemment, Gary était avec ses complices en train d'organiser le premier raid en voitures-bélier ce soir-là. Je ne sais pas où, mais en tout cas ce n'était pas au pub "The Red Rose" à Edenwick. »

Elle restait silencieuse, le regardant droit dans les yeux. Il se dit qu'elle aurait probablement bien voulu lui arracher le petit magnétophone des mains, mais qu'elle n'osait pas. Ce fut peut-être l'instinct, ou la longue expérience qui lui permettait de déchiffrer les expressions sur les visages et d'en tirer des conclusions, qui lui fit dire :

« Écoutons un peu ce que vous avez enregistré, mademoiselle Heddon. »

Il entendit sa propre voix, puis sa voix à elle. Aussi clairement que s'ils parlaient au téléphone. C'était un magnétophone de très bonne qualité. Il pensa : oui, Gary a participé au premier raid, celui qui a eu lieu après le meurtre et après la première fois où je suis venu la questionner. Et ensuite, à partir de la deuxième fois...

« Je ne connaissais pas très bien Carol.

140

— Mais c'était une amie intime de votre mère... »

Sa voix fut quelques instants couverte par des grésillements.

« J'ai quitté la maison de ma mère quand j'avais dix-sept ans. Je ne connais pas toutes les amies qu'elle a. Et bien sûr, je ne savais pas s'il arrivait à Carol de promener le chien... »

Il éteignit le petit appareil.

« C'est donc ainsi que vous vous y preniez, dit-il. Vous enregistriez nos conversations et vous appreniez vos répliques par cœur. C'était le moyen d'être sûre qu'aucun détail de votre histoire ne varierait jamais. »

D'une voix dure et crispée, elle répondit :

« Puisque vous le dites. »

Il se leva.

« Je doute que Gary continue à vivre très longtemps à vos côtés, mademoiselle Heddon. Vous serez autorisée à lui rendre visite une fois par semaine, si vous le désirez. Certaines personnes affirment que la ligne de démarcation qui sépare le flic du criminel est très mince, parce qu'ils ont le même type d'intelligence. Votre mère m'a rapporté que vous aviez jadis nourri l'ambition de devenir officier de police. On ne peut pas dire que vous ayez d'emblée pris la bonne voie, mais il n'est peut-être pas trop tard. »

Le petit magnétophone dans sa poche, il se retourna après s'être plié en deux pour sortir de la caravane et lui lança :

« Si cette idée vous séduit toujours, passez-moi donc un coup de fil. »

Il referma la porte derrière lui et traversa le champ boueux par la petite piste cendrée.

L'amant de Porphyrie

« LA PLUIE a commencé à tomber tôt ce soir », dit-elle.

Elle referma la porte derrière elle et entra dans le salon. Elle était nu-tête et ses beaux cheveux blond cendré, qui lui descendaient presque jusqu'à la taille, étaient tout mouillés.

Il lui sourit.

« Sais-tu ce que tu viens de dire ?

— Pardon ?

— "La pluie a commencé à tomber tôt ce soir." C'est le premier vers de *L'Amant de Porphyrie*. »

Il la regarda dans les yeux, y cherchant une lueur de compréhension, mais n'en vit aucune.

« De Browning[1], précisa-t-il. C'est un poème, Lizzie. Tu ne l'as jamais étudié au lycée ? »

Il la débarrassa de son manteau, qui était très humide, et, revenant sur son idée première qui avait été de l'accrocher au portemanteau du vestibule, l'étendit comme une draperie sur le large dossier d'une chaise devant la cheminée. La maison était petite et basse de plafond, c'était

1. Robert Browning (1812-1889), poète romantique anglais tardif. Le poème *L'Amant de Porphyrie* date de 1836. *(N.d.T.)*

un joli petit cottage de brique faisant partie d'une rangée gracieusement incurvée de maisonnettes toutes pareilles, dans une banlieue lointaine du sud de Londres : un îlot victorien aux limites de la campagne dont personne n'avait entendu parler, à l'écart des lignes de métro et des arrêts d'autobus.

« Tu as dit "Porphyrie" ? demanda-t-elle.

— Oui.

— La porphyrie est une maladie, Michael. Je ne sais pas pourquoi ça s'appelle comme ça, mais je sais que c'est une maladie. On a l'urine qui devient pourpre.

— Browning a appelé la jeune fille de son poème Porphyrie avant que les médecins donnent ce nom à une maladie. Il y a aussi une qualité de marbre qu'on appelle le porphyre. Ça veut dire pourpre. Du grec *porphyra* : la pourpre.

— Tu en sais des choses, dit-elle. Peux-tu monter me chercher ton sèche-cheveux ? Je me sentirais mieux si j'avais les cheveux secs. »

Michael ne pouvait supporter le bruit du sèche-cheveux.

« Il s'est cassé en tombant par terre et je l'ai jeté à la poubelle, mentit-il. Mais comme tu vois, j'ai fait du feu. Prenons un verre de vin et tu pourras te sécher les cheveux devant la cheminée. »

Elle portait une longue jupe d'un bleu sombre tirant sur le mauve, un corsage en velours violet très échancré et une longue écharpe en soie de la même couleur. Le bas de la jupe était trempé. Il était vraiment absurde, pensa-t-il, qu'il eût fallu aux femmes des décennies d'émancipation progressive avant de parvenir à ne plus choquer personne si elles portaient des pantalons, tout cela pour qu'elles revinssent ensuite au genre de vêtements que portaient leurs grands-mères, et de leur propre gré de surcroît. Le feu était à demi éteint, il n'en restait plus que des braises fumantes où couraient quelques flammèches. Pendant qu'il débouchait la bouteille de vin, elle se mit à genoux devant la cheminée et attisa les braises avec le curieux soufflet à poignées de cuivre ouvragé qu'il avait acheté chez un brocanteur.

Il récita à mi-voix :

« "Elle mit à la porte la froidure et l'orage, et, s'agenouillant, à l'âtre morne elle rendit son flamboiement et à toute la maison sa douce chaleur."

— C'est beaucoup dire ! observa-t-elle en riant. C'est encore dans *Porphyrie* ?

— Oui. J'ai fait étudier le poème à mes élèves aujourd'hui et, bizarrement, on croirait que tu es en train de le mimer. Voilà ton vin. Porphyrie était venue retrouver cet homme dans sa maison un soir de pluie et elle avait les cheveux mouillés, comme toi. Des cheveux jaunes, dit Browning. Comme les tiens, je suppose.

— Des cheveux jaunes ? Pourquoi pas blonds ? Je ne trouve pas ça très joli. Qu'est-ce qu'il raconte, ton poème ? Je sens que tu grilles d'envie de me le dire. »

Il la regarda renverser la tête en arrière, dos à la cheminée, et déployer ses cheveux comme un grand éventail doré. Les flammes renaissantes allumaient des reflets dans les longues mèches légèrement ondulées.

« Je ne le connais pas entièrement par cœur, dit-il. Seulement des passages. À un moment, il y est question d'un festin, ce qui me fait penser que je ferais bien de commencer à m'occuper du dîner. Ou bien préfères-tu que nous sortions manger quelque part ?

— Je n'ai pas très faim. »

Elle se mit à passer un grand peigne d'écaille dans ses cheveux, ce qui éveilla d'infimes grésillements électriques.

« Il est un peu tôt pour manger, tu ne crois pas ?

— Comme tu veux, dit-il. Viens donc t'asseoir à côté de moi. »

Il y avait un sofa dans le petit salon, recouvert d'une tapisserie écarlate parcourue de motifs pourpres. Sur chacune des deux tables basses était posée une lampe dont la lumière était tamisée par un abat-jour rouge sombre. Il alluma le lustre mais ne les éteignit pas. La pièce devint plus chaleureuse et accueillante, mais parut en même temps plus exiguë. Michael s'assit sur le sofa et lui désigna le coussin à côté du sien. Quand elle fut assise auprès de lui, il mit une main entre les siennes.

« "De mon bras, elle entoura sa taille", dit-il. Vas-y, entoure ta taille avec mon bras. "Et elle dénuda sa douce et blanche épaule." »

Très doucement, il fit glisser d'un côté le haut du corsage violacé et découvrit son épaule et le haut de son bras.

« La tienne n'est pas vraiment blanche. Tu es trop bronzée. Les jeunes filles de l'époque victorienne avaient soin d'éviter le soleil.

— Beaucoup de médecins diraient que c'était plus sage. Mais continue à réciter.

— Je t'ai dit que je ne me le rappelais pas en entier. À un moment, elle se penche vers lui pour qu'il pose sa joue contre son épaule nue et fait tomber ses cheveux "qui partout se répandent", c'est-à-dire qui lui recouvrent le visage, je suppose.

146

— Comme ça ? »

Lizzie fit glisser sa chevelure d'un côté, lui recouvrant le visage et sa propre épaule nue comme d'un voile. Il secoua la tête et se redressa, car il n'aimait pas avoir des cheveux dans la bouche.

« Je te ressers du vin ?

— Oui, s'il te plaît. »

Il se leva pour remplir son verre. Au moment où elle étendait la main pour le saisir, il la prit, la serra et l'éleva jusqu'à ses lèvres, puis, approchant sa bouche de la sienne, l'embrassa longuement. Il écarta les longs cheveux blonds qui lui tombaient encore sur le front, défit le nœud de l'écharpe violine et posa un baiser au creux de sa gorge.

« C'est ce que l'amant de Porphyrie lui a fait quand il a vu son épaule nue ? lui demanda-t-elle avec un sourire tendre.

— Non, je ne crois pas. Dans le poème, il ne l'embrasse pas, en tout cas pas comme ça et pas à ce moment-là. Il est seulement très heureux qu'elle ait bravé la pluie et le vent pour venir le retrouver, et en même temps malheureux parce qu'elle ne veut pas se donner à lui pour toujours.

— S'il veut dire coucher avec lui, les jeunes filles victoriennes n'auraient jamais fait ça, il me semble. C'était défendu.

— Oh, je suppose que certaines le faisaient quand même, dit Michael. En tout cas il dit que "la passion parfois prenait le dessus", et effectivement c'était la passion qui l'avait poussée à le rejoindre ce soir-là.

— Ça doit être la même chose pour moi, dit Lizzie. Sais-tu qu'il m'a fallu presque deux heures pour venir,

147

avec les métros de la Victoria Line qui prenaient toutes les bifurcations sauf la bonne et les bus qui passaient tous au même moment, et puis rien pendant une demi-heure. Par un temps pareil, ça ne peut être qu'une sacrée dose de passion qui m'a fait tenir bon.

— "J'ai plongé mon regard dans le sien, reprit Michael. Heureux et fier : car enfin je savais que Porphyrie m'adorait."

— Est-ce qu'elle était mariée ? Comme moi ?

— Browning ne le dit pas. Mais il la décrit comme "parfaitement bonne et pure", donc on a tout lieu de supposer que non. Les femmes infidèles étaient considérées comme des criminelles en ce temps-là. »

Lizzie détourna le regard et but une gorgée de vin. Puis elle prit le poignet de Michael et lui tapota doucement la paume de la main. Elle demanda rêveusement :

« Et qu'arrive-t-il ensuite ?

— Ensuite, il l'étrangle. »

Elle laissa tomber sa main comme si elle brûlait et recula vivement tout au bout du sofa.

« Quoi ?

— Il l'étrangle avec ses cheveux. Pour la garder pour lui tout seul, à jamais fidèle. "Alors je vis la seule issue qui devant moi s'ouvrait, dit-il. Et de toute sa chevelure entre mes mains serrées, je fis une longue corde jaune. Trois fois j'en entourai son cou gracile..."

— C'est horrible ! Et tu fais étudier ce poème à des gosses ?

— Ils ont seize ans, Lizzie. Ce ne sont plus des bébés. »

De nouveau, elle se rapprocha de lui.

« Ça ne marcherait pas, de toute façon. On ne peut pas étrangler quelqu'un avec ses propres cheveux.

— Pourquoi pas, s'ils sont assez longs ? »

Pour toute réponse, elle tordit ses cheveux en une épaisse tige douce, flexible et dorée, dont elle posa l'extrémité sur la paume de sa main, la lui tendant comme si elle lui proposait un objet à vendre. Il la prit entre ses deux mains, la tordit plus fort, la fit passer sous l'oreille droite de sa maîtresse en la pressant un peu contre sa gorge. Il l'enroula d'abord tout doucement, puis, tirant plus fort, parvint à faire presque deux tours autour de son cou lisse et hâlé.

« "Et sa joue, une dernière fois, s'empourpra sous mon baiser brûlant", dit-il.

— Il l'embrasse sur la joue ? s'étonna Lizzie.

— Avec les poètes victoriens, j'ai souvent l'impression que c'est un euphémisme pour dire la bouche. »

Michael se pencha pour l'embrasser, mais, au moment où leurs lèvres allaient se toucher, détourna la tête de quelques centimètres et baisa longuement l'endroit précis où le coin de la bouche rencontrait la peau de la joue. Tandis qu'il pressait ses lèvres sur cette peau douce et chaude, il serra plus fermement la corde de cheveux dans sa main et exerça une brusque traction.

« Michael ! »

Ce fut presque un cri.

Il tirait tant qu'il pouvait sur le long écheveau blond. Puis, tout aussi soudainement, il relâcha sa prise. D'un geste vif, elle ramena ses cheveux en arrière.

« Ce que tu peux être bête quelquefois !

— Tu avais raison. Ce n'est pas possible. Tes cheveux ne sont pas assez longs.

— Encore heureux ! Tu m'as presque fait peur pendant une seconde.

— Vraiment ? dit-il. Je ne te crois pas. »

Il fit glisser doucement ses deux mains dans sa chevelure et la laissa retomber sur ses épaules. Puis il lui passa les doigts sous le menton et l'obligea à lever la tête. Elle le considérait avec une expression perplexe. Il plongea son regard dans le sien.

« C'était une façon de la garder pour lui à tout jamais, vois-tu. Plus de retours sous le toit conjugal une fois la soirée terminée, plus de réactions d'orgueil et de "vaines attaches" trop difficiles à rompre. Je le comprends très bien. »

Ses mains étaient maintenant posées sur ses épaules et son regard était devenu hypnotique. Celui de Lizzie se troubla et ses lèvres tremblèrent soudain. Il saisit les deux extrémités de l'écharpe en soie pourpre, les croisa et, dans un mouvement rapide comme l'éclair, tira de toutes ses forces. Elle voulut crier, mais aucun son ne sortit de sa gorge. Porphyrie n'avait opposé aucune résistance à son amant meurtrier mais Lizzie, elle, se débattit furieusement, se tordant de côté et d'autre, donnant des coups de pieds et de poings, agitant les bras avec violence, toussant, s'étouffant, poussant des hoquets et des râles. Mais quand la lutte eut pris fin, elle aussi gisait immobile, la tête mollement penchée d'un côté.

Il caressa les cheveux blond cendré qui n'avaient pas été assez longs. Puis il récita d'une voix très douce :

« "Ainsi en cet instant, nous sommes encore assis côte à côte. Tout le long de la nuit nous n'avons pas bougé, et jusqu'ici Dieu n'a pas dit une parole." »

Grandes espérances

Il n'est pas de vernis qui puisse cacher le grain du bois, comme avait coutume de dire mon cousin Matthew au sujet de mon défunt époux, ajoutant qu'un individu qui n'était point dans l'âme un vrai gentleman ne saurait se montrer un vrai gentleman dans sa façon d'être ni d'agir. George, cependant, était parvenu à passer pour un homme bien né et le pur produit d'une haute éducation, avec tant d'habileté que jusqu'en ses dernières années, seules sa femme et sa fille connaissaient ce qu'il était véritablement derrière ses sourires gracieux, ses irréprochables habits noirs et ses mouchoirs plus blancs que la neige. Estella et moi étions les seules à savoir que sous la conversation raffinée émaillée de citations en vers que scandait sa voix mélodieuse, et sous l'apparence tellement avenante et distinguée, se cachait le cœur vil d'un criminel.

Toutefois, un gentleman admirable pour ses principes, sa haute moralité et sa droiture ne se retrouve pas lardé de coups de couteau près d'un champ de courses, fût-il celui d'Epsom, ainsi qu'il advint de George voilà maintenant trois semaines. Un homme aussi vertueux que nombre de ses connaissances avaient pu croire qu'il l'était ne laisse pas en mourant une épouse contentée et une fille réjouie. Car la vérité, si bouleversée que je fusse en apprenant la

151

nouvelle de son assassinat, est que par-dessus tout je me sentis immensément soulagée. Les vingt années qui viennent de s'écouler ont fort souvent outrepassé les limites du tolérable (mais est-il d'autre voie pour une femme que de tolérer ?), et la mort de George, pour atroces qu'en eussent été les circonstances, ôta de mes épaules un terrible fardeau en une fraction de seconde.

Sa tombe est dans le cimetière de notre village. Tout le temps que j'avais vécu à Londres, la campagne m'avait manqué et il me languissait d'y retourner. La brasserie et tous les biens de la famille étaient naturellement devenus la propriété de George à notre mariage. Au reste, si je niais que George ne m'avait épousée que dans le but d'en avoir la possession, je ne ferais que me leurrer moi-même ; mais je suis heureuse qu'il n'ait pas vendu Satis House, bien qu'il eût toujours tenu notre vieille demeure familiale pour une lugubre bâtisse dépourvue du moindre agrément. J'y suis revenue, et je m'apprête à prendre la place qui me revient dans la bonne société du comté, avec ma fille qui sera en âge de faire ses débuts dans le monde d'ici une année. Alors le temps sera venu pour moi où je pourrai quitter le deuil, et je donnerai un bal en son honneur. Au vrai, je gage qu'il y aura quelques cœurs brisés lorsque les jeunes galants des alentours poseront les yeux sur Estella. Son prénom veut dire « étoile », et une étoile elle sera. Je m'étais toujours promis que si je mettais au monde une fille, elle s'appellerait Estella, et pour une fois George ne s'est point opposé à mon désir. Il a consenti, même si lui, bien sûr, eût préféré un fils.

Estella est bien plus belle que je ne le fus jamais. Elle est grande, comme son père, et a hérité de lui sa belle chevelure sombre et bouclée. Je ne puis plus songer aujourd'hui à l'effet que son apparition produisit sur moi lorsque Arthur l'amena à la maison pour me le présenter, il y a tant d'années, sans éprouver rétrospectivement une sorte de stupeur. J'en fus amoureuse dès ce premier soir. Mais même dans le trouble extrême qui fut alors le mien, même dans mon fol aveuglement pour tout ce qui n'était pas la beauté de George et les grâces de George, je gardai assez de sens pour me demander pourquoi l'ultime représentant de ma parentèle (je me refuse à accorder à Arthur le digne et tendre nom de frère) était si désireux que son ami me trouvât aimable, et qu'en retour j'éprouvasse à son endroit le même sentiment.

Arthur m'enviait parce que notre père m'avait légué en mourant la plus grande partie de ses biens, arguant que j'étais l'aînée de ses deux enfants. Peut-être eussé-je dû lui faire observer plus souvent que la vie déréglée et tapageuse qui était la sienne, aggravée par ses insolences coutumières à l'égard de notre père, rendaient inévitable son déshéritement. Et de fait, ce ne fut que sur son lit de mort que Père décida de se montrer moins sévère et de lui laisser des parts dans la brasserie. Ce legs, et les revenus qu'il lui assurait, étaient tout à fait insuffisants pour Arthur, et il ne me fallut pas longtemps pour le comprendre ; au demeurant, ce ne fut qu'à la veille de mon mariage que je découvris le complot qu'il avait ourdi avec George.

Aurais-dû opposer à George un refus lorsqu'il me demanda de l'argent ? Une jeune personne sage et prudente eût-elle refusé ? J'avais si peur de le perdre ! Assurément je ne manquais pas de soupirants, mais je ne voulais d'aucun d'entre eux. Je voulais George. Et de surcroît, ce qu'il me fit observer était, indéniablement, la stricte vérité :

« Pourquoi ne me laisseriez-vous pas disposer de mille livres dès maintenant, mon cher amour, puisque c'est à moi que tout appartiendra sitôt que nous serons mariés ? À moi, pour qu'en bon époux je veille diligemment sur votre fortune lorsque vous serez devenue ma femme. »

Aussi acceptai-je. Cette fois-là, de même que maintes autres fois par la suite.

Il advint que trois semaines avant notre mariage, George séjournait à Satis House pour quelques jours et qu'une nuit, ne pouvant dormir, je décidai de descendre chercher un livre dans la bibliothèque. Arthur et lui se trouvaient dans la pièce, assis devant l'âtre à demi éteint, et, à n'en pas douter, achevant de vider la bouteille de brandy. La porte était entrouverte, aussi les propos qu'ils échangeaient me parvenaient-ils clairement.

Il était très tard et au moment où je m'étais relevée, j'étais si sûre qu'ils s'étaient retirés dans leurs chambres que j'étais descendue en chemise de nuit, avec seulement un châle jeté sur mes épaules. Je m'arrêtai donc devant la porte, hésitant sur la conduite à tenir maintenant.

C'est alors que j'entendis Arthur prononcer ces mots :

« Je lui céderai mes parts dans la brasserie, Compeyson, mais à condition d'en tirer une belle somme. Alors, mon vieux, tu ferais bien de lui conseiller de ne pas rechigner sur le prix. »

George se mit à rire et répondit :

« Qu'est-ce que tu crois ? Je sais où est mon intérêt ! Dès qu'elle aura payé, nous divisons le magot en deux, alors... »

L'homme que j'avais été accoutumée à appeler mon frère dit :

« Et ensuite, tu disparais de la circulation, comme convenu ?

— Ne parle pas si fort. »

La voix de George était presque trop basse pour que je pusse distinguer ses paroles. Je tendis l'oreille.

« En un mot comme en cent, je ne l'épouse que si elle refuse de racheter tes parts. Mais elle ne refusera pas, sois tranquille. Tu le vois bien toi-même : elle est tellement amoureuse qu'elle me suivrait jusqu'au bout du monde comme une esclave ! »

C'était vrai. Mais, debout derrière cette porte et serrant mon châle autour de mes épaules, je tremblais de tous mes membres. Lentement, je remontai me coucher, me déplaçant telle une somnambule. Je restai éveillée jusqu'au matin. Je n'avais personne pour me conseiller, même si je devinais facilement, pour ignorante et naïve que je fusse, quel conseil me donneraient les gens sages. Mais je l'aimais. En dépit de sa duplicité, de sa traîtrise, je l'aimais. Certes, je voyais à présent le grain du bois à travers le vernis, mais je ne l'en aimais pas moins...

Le lendemain, le surlendemain, tous les jours qui suivirent, George m'entreprit sur le sujet des parts détenues par Arthur, d'un ton toujours plus pressant et presque suppliant. Quand il serait mon mari, arguait-il, quoi de plus normal qu'il possédât la brasserie intégralement ? Ainsi, il serait mieux à même de veiller à sa prospérité. Cela relevait du plus simple bon sens. Pendant quelque temps, je jouai le même jeu que lui. Je m'enquis du prix qu'Arthur demandait pour ses parts et feignis d'être effrayée par l'énormité de la somme. En même temps, je comptais les jours qui nous séparaient de la date prévue pour notre mariage. Dix-neuf jours, dix-huit jours,

155

dix-sept... Mon trousseau était prêt, il y avait eu déjà trois essayages pour ma robe de mariée. George me dit que le rachat des parts d'Arthur n'exigeait qu'une formalité, ma signature au bas d'un document qu'il m'apporterait.

Sur le premier exemplaire dudit document, je m'arrangeai pour renverser de l'encre. Quinze jours, quatorze. Je fis discrètement appel à un notaire en ville. Il vint, examina le document et l'emporta. Cependant les jours passaient, treize, douze, onze, puis le notaire revint, pour m'assurer que le document était légal et qu'il n'y avait donc aucun obstacle à ce que j'y apposasse ma signature. Hormis moi-même, et ce que je savais des conséquences de mon consentement. Je pris mon courage à deux mains, et déclarai à George que je préférais de beaucoup que ce fût lui qui se chargeât de racheter ses parts à Arthur, que je n'étais qu'une femme et que tout ce qui relevait des affaires m'était incompréhensible. Dès que nous serions mariés, il disposerait de capitaux très suffisants pour régler cette question lui-même.

Cet entretien eut lieu six jours avant le mariage. George partit, et je n'eus plus aucune nouvelle de lui. J'en perdis le sommeil ; c'était à peine si je parvenais à prendre un peu de repos pendant la journée tant mon angoisse était atroce. Mais ma robe de mariée était prête, le gâteau de noces aussi, et le grand jour arriva enfin. C'était Arthur qui devait me conduire à l'autel, mais il ne se manifestait pas. Quant à George, à l'homme qui devait ce jour-là devenir mon époux, il n'avait pas donné signe de vie depuis presque une semaine.

Il était neuf heures moins un quart, et j'étais assise devant ma coiffeuse, face à une psyché au cadre doré. Ma femme de chambre m'avait habillée de soie et de dentelle blanches, elle avait parsemé de fleurs d'oranger mes cheveux et attaché les diamants de maman autour de mon cou. Des malles à demi remplies gisaient aux quatre coins de la pièce. Je me souviens parfaitement de l'instant où la petite lettre arriva. Mon voile n'était que partiellement en place sur ma tête et je n'avais encore enfilé qu'un de mes souliers ; l'autre était sur le dessus de la coiffeuse, à côté de divers bijoux, de mon livre de prières et de mon bouquet nuptial, tout cela posé pêle-mêle devant la psyché.

Ma femme de chambre entra et me mit l'enveloppe entre les mains. Alors, le temps et ses révolutions, le monde et ses rotations, tout cela sembla s'arrêter, rester en suspens, et je pensai : si cette lettre me dit qu'il est parti et ne reviendra pas, le temps s'arrêtera définitivement et je demeurerai à tout jamais telle que je suis en cet instant. Je porterai cette robe jusqu'à mon dernier jour, je resterai avec un pied chaussé et l'autre non, jusqu'à ce que j'aie les cheveux blancs et que ma peau soit flétrie et ridée. La porcelaine et l'argent resteront disposés pour le banquet de noces jusqu'à ce que la poussière les recouvre et que le gâteau de mariage devienne un repaire pour les araignées qui le voileront de leurs toiles.

J'ouvris la lettre de George. *Mon cher amour,* commençait-il, et il continuait en me disant qu'il m'aimait infiniment, qu'il s'était trouvé dans la pénible obligation de s'absenter pendant ces quelques jours, mais qu'il m'attendrait à l'église. Je laissai ma femme de chambre finir d'arranger mon voile, chaussai mon second soulier, glissai mes bagues à mes doigts, puis enfilai mes gants de satin blanc. Je pris dans mes mains mon bouquet et mon livre de prières, et descendis l'escalier, en bas duquel Arthur m'attendait pour m'accompagner à l'église et me donner le bras jusqu'à l'autel.

À peine une année avait-elle passé que mon amour s'était éteint. Le vernis avait entièrement disparu, et je ne voyais plus que le grain du bois ; mais à présent j'étais mariée, j'étais Mme George Compeyson, avec la dignité d'une épouse. Mon enfant était née, et les années à venir me la feraient voir croître en force et en beauté. Satis House, dont le nom signifie « suffisance », m'attendait pour mon veuvage, et l'on avait coutume de dire dans le pays, depuis le temps où la maison avait été bâtie, que quiconque la possédait ne pouvait désirer davantage. Quoique George ait dilapidé une grande part de ma fortune, il m'en reste assez pour vivre dans le confort et l'aisance et donner à Estella une dot de vingt mille livres lorsqu'elle se mariera.

Et si quelquefois je me sens un peu triste et abattue, si je découvre sur mon visage les premiers signes de la vieillesse et que je pense à ma vie gâchée, alors je monte dans cette pièce qui fut autrefois ma chambre de jeune fille. Là, je m'approche de la coiffeuse qui n'a pas changé de place depuis toutes ces années, je me regarde dans la psyché, et je me dis que je dois être reconnaissante envers le sort et m'estimer heureuse de ce que j'ai fait, ou renoncé à faire, pour une année d'amour et une merveilleuse enfant. M'estimer heureuse, surtout, de ne plus être assise devant cette glace en robe et voile blancs, avec un pied chaussé et l'autre non, et condamnée à demeurer pour toujours Mlle Havisham.

En toute honnêteté

DEPUIS que Beatrix Cooper-Gibson s'était fait couronner les dents, elle était obsédée par la crainte qu'une ou plusieurs des couronnes se décrochât pendant son sommeil, vînt se coincer dans sa gorge et la fît périr étouffée. C'était en vain que son dentiste lui avait dit et répété qu'un tel accident était impossible. Il arrivait parfois que les couronnes dentaires se détachassent, c'était un fait bien connu, alors pourquoi pas les siennes ? Et pourquoi pas pendant la nuit ?

Le résultat fut qu'elle se mit à mal dormir. À supposer qu'elle réussît à trouver le sommeil, elle se réveillait au bout d'une heure ou deux et passait ses doigts le long de sa dentition pour s'assurer qu'aucune des couronnes n'avait bougé. Il lui fallait ensuite un bon moment pour se rendormir, puis elle se réveillait de nouveau une heure après et recommençait à explorer sa bouche.

Plus elle vieillissait et plus ses craintes augmentaient. Car elle en avait d'autres. Si elle s'asseyait sur un siège trop près d'un mur, elle avait peur qu'un tableau lui tombât sur la tête. Même si elle déplaçait le siège de dix centimètres, de trente centimètres, rien ne lui garantissait que le tableau tomberait verticalement, il pourrait très bien se renverser dans sa chute et tomber à plat. Progressivement,

159

elle avait donc fait déplacer tous les meubles de sa maison vers le centre de chacune des pièces. Elle avait les mouches en abomination et comme elle savait que les araignées attrapaient les mouches, elle avait interdit qu'on détruisît les toiles d'araignée. Mais ce qui l'effrayait le plus était sans doute l'électricité ; aussi exigeait-elle que toutes les prises fussent débranchées avant que la maisonnée se retirât pour la nuit. Elle débranchait elle-même la prise de sa lampe de chevet avant de dormir. En conséquence, si elle avait besoin d'allumer la lumière pendant la nuit, il lui fallait d'abord se lever et rebrancher la prise. Pour ce faire, elle gardait toujours sur sa table de chevet une petite torche, ainsi qu'une bougie dans son bougeoir pour le cas où la pile de la torche serait défaillante.

Si elle avait vécu avec des gens peu compréhensifs ou peu conciliants, ils auraient pu lui rendre la vie difficile, voire la rendre malheureuse (ou peut-être, au contraire, l'auraient-ils guérie de ces compulsions névrotiques), mais Gwenda et Clive, le couple qui s'occupait de tout dans la maison, jugeaient ces anxiétés parfaitement raisonnables. Ou du moins était-ce l'opinion de Gwenda, et Clive se conformait toujours aux opinions de Gwenda, car ils vivaient depuis vingt-cinq ans une union exceptionnellement harmonieuse. Or, Gwenda estimait que Beatrix Cooper-Gibson était une femme admirable de prudence et de sagesse.

« Le fait est que la maison n'a jamais brûlé à cause d'un court-circuit, n'est-ce pas ? disait-elle. Et en toute honnêteté (elle employait très souvent cette expression, même quand aucune considération de sincérité ou de probité n'entrait dans ses propos), en toute honnêteté, personne ici n'a jamais reçu un tableau sur la tête.

— Et on peut dire ce qu'on veut, ajoutait le loyal Clive, mais chez Madame on ne sait pas ce que c'est qu'une intoxication alimentaire. »

Ils avaient formulé ce genre d'arguments à plusieurs reprises, et chaque fois pour commenter les protestations du fils de Beatrix Cooper-Gibson, Alexander, qui s'exaspérait de ce qu'il appelait la « dinguerie » de sa mère. Les choses allaient de mal en pis, disait-il. Elle avait soixante-quinze ans, se portait comme un charme et avait par conséquent toutes les chances de vivre encore au moins dix ans. Quelles nouvelles excentricités inventerait-elle dans les années à venir ?

Que Beatrix demeurât en vie le plus longtemps possible était assurément dans l'intérêt de Gwenda et Clive. Quatre-vingt-cinq ans, ce n'était rien. Pourquoi pas quatre-vingt-quinze ? Alors, eux-mêmes auraient atteint l'âge de la retraite et recevraient une pension de l'État. L'emploi qu'ils occupaient était une véritable sinécure : ils avaient leur propre appartement séparé au deuxième étage, avec télévision et magnétoscope, salle de bains agrémentée d'un jacuzzi, cuisine parfaitement équipée, et si Beatrix insistait pour qu'ils rassemblassent tous les meubles au centre de chaque pièce ou débranchassent les prises avant de monter dormir, on ne pouvait vraiment pas dire que cela leur causât un grave désagrément. Au contraire : c'était le signe du souci qu'elle avait de leur sécurité autant que de la sienne, de l'affection qu'elle leur portait et que tous deux lui rendaient bien. De surcroît, la chère femme n'avait pas besoin qu'on s'occupât beaucoup d'elle : elle avait une santé de fer, une vigueur et une énergie à toute épreuve, presque miraculeuses pour son âge.

161

« En toute honnêteté, disait Gwenda, c'est comme vivre en ayant sa vieille maman adorée sous son toit. »

Si ce genre de remarques n'étaient pas du goût d'Alexander — après tout, c'étaient eux qui vivaient sous le toit de Beatrix et non l'inverse —, il ne le montrait pas. En revanche, il insistait fréquemment sur le fait que l'installation électrique avait été entièrement remise à neuf dans toute la maison deux ans plus tôt, et que le dentiste de sa mère lui avait assuré que le ciment qu'il avait utilisé pour fixer ses couronnes résisterait à la traction d'un moteur de cinq cents chevaux-vapeur.

« N'empêche qu'un accident peut toujours arriver », observa un jour Clive — et ce commentaire lui valut de la part de sa femme un grand sourire d'encouragement.

Alexander leva les yeux au ciel. La dernière lubie de sa mère était de faire poser dans toute la maison une épaisse moquette dans le genre angora, à poils très longs, de différentes nuances pastel selon les pièces. Elle avait lu quelque part, ou entendu dire (ou peut-être était-ce un pur produit de son imagination, pensait Alexander), qu'une moquette de couleur sombre provoquait par un effet d'absorption une déperdition de chaleur et même de lumière, alors qu'une épaisse moquette claire à très longues fibres retenait dans un premier temps la chaleur, puis la renvoyait, garantissant ainsi une température à la fois tiède et stable dans toute la maison. C'était une horreur, disait-elle, de penser que toute cette bonne chaleur qui coûtait si cher était aspirée par la mince couche foncée de sa moquette, laissant les pièces froides et même, très certainement, chargées d'humidité, ce qui faisait naturellement de sa maison un terrain d'élection pour les rhumes, angines, rhino-pharyngites, bronchites, hémoptysies, grippes, allergies, pneumonies, pleurésies et autres crises d'hypothermie. Devant son fils, elle peignit le sinistre tableau d'une sombre et dense masse textile brun verdâtre, fongique et marécageuse, qui attirait en elle à la manière d'une plante carnivore engloutissant des insectes toute la saine chaleur diffusée par le chauffage central et la radieuse lumière du soleil.

« Ça va vous coûter une fortune, fit observer Alexander.

— Et alors ? Je ne t'ai pas demandé de payer. »

Quand bien même elle l'aurait fait, ce n'était pas cela qui eût spécialement gêné Alexander. Pour lui, l'argent n'était pas un problème. Il en avait largement autant que sa mère, et même si le sien était le produit de son travail et de ses qualités d'homme d'affaires alors que celui de Beatrix lui venait pour l'essentiel de son défunt mari, dans les deux cas il s'agissait à ses yeux d'argent destiné à être dépensé raisonnablement, c'est-à-dire pour pourvoir à une meilleure qualité de vie. Mais le jeter par les fenêtres pour faire poser de hideuses moquettes velues aux tons anémiques, après avoir arraché des dizaines et des dizaines de mètres carrés de vieux Wilton[1] de toute première qualité...!

« Je suis absolument décidée à le faire, Alexander. Je perds complètement le sommeil à force de me tourmenter en pensant à toute cette bonne chaleur qui s'échappe par le sol.

— Dans ce cas, vous feriez mieux de prendre les somnifères que vous a prescrits le docteur, dit Alexander.

---

1. Marque ancienne de moquettes et tapis de qualité exceptionnelle et très coûteux, traditionnellement appréciés dans les demeures des vieilles familles de la haute bourgeoisie ou de l'aristocratie britanniques. *(N.d.T.)*

163

— Compte sur moi ! répliqua sa mère d'un ton de sarcasme appuyé. Comme ça, je dormirai si bien que je m'étoufferai en avalant mes dents. »

Les poseurs de moquette vinrent un mois plus tard, et commencèrent par enlever le splendide Wilton à motifs d'entrelacs vert amande et cramoisi sur fond brun. Beatrix leur dit qu'il avait absorbé non seulement douze ans de bonne chaleur, mais aussi des milliards de milliards de microbes, et que donc le mieux à faire était de l'emporter et de le détruire. Le chef d'équipe l'emporta en effet, mais chez lui. Il le fit nettoyer et en recouvrit le sol de tout son appartement.

Ensuite, on déroula les rouleaux d'angora rose crevette, coquille d'œuf et vert gazon, qui tous ensemble donnaient l'impression d'imiter une assiette de crudités. Beatrix mesura les fibres avec une règle, et fut satisfaite de constater qu'elles faisaient environ un pouce et demi de longueur. Le chef d'équipe disait quatre centimètres, mais il était hors de question pour elle de reconnaître ne fût-ce que l'existence du système métrique. Il fallut deux jours pour poser les nouvelles moquettes dans toutes les pièces de la maison puis replacer le mobilier, et Beatrix ralentissait souvent le déroulement des opérations en rappelant aux ouvriers que surtout, surtout, elle ne voulait pas qu'ils rapprochassent le moindre meuble des murs ou détruisissent les toiles d'araignée.

« Comme c'est joli ! dit Gwenda en applaudissant. C'est si frais, si délicat, toutes ces teintes pastel ! On croirait un dessin d'enfant. »

Alexander se borna à dire que ce n'était pas exactement son goût, et sa sœur Julia fit remarquer que tout cela serait beaucoup plus salissant.

« En toute honnêteté, dit Gwenda, et si vous me permettez de parler librement, mademoiselle Julia, c'est à moi de m'occuper de ces questions. Pour être franche, j'ai beaucoup encouragé Mme Cooper-Gibson à faire poser ces ravissantes moquettes et je ne le regrette pas un instant. De la lumière et de la couleur : voilà de quoi on a besoin quand on est jeune par le cœur et par l'esprit, même si on ne l'est plus par l'âge. »

Alexander préférait ne pas faire d'autres commentaires, maintenant que le mal était fait. Après tout, si les nouvelles moquettes de sa mère auraient assurément mieux convenu à du mobilier high-tech ou dans le genre Bauhaus, à des parois de verre et à des plafonds de marbre qu'à une vieille et belle demeure typiquement victorienne avec ses tables recouvertes de dentelle et ses méridiennes en bois sombre, ses portraits de famille et ses aquarelles un peu mièvres, c'était sa maison et elle avait le droit d'en modifier l'aspect conformément à ses désirs. Mais Julia avait considérablement plus de mal à contenir ses sentiments. C'était d'ailleurs en raison de ce manque de maîtrise de soi qu'elle venait beaucoup moins souvent que son frère voir Beatrix.

« Je regrette, mais je trouve que tout ça est non seulement d'une laideur effroyable, mais qu'on n'aurait rien pu trouver de pire pour défigurer une maison comme celle-ci. »

Comme elle était un peu snob, elle ajouta :

« En fait, c'est exactement ce que les ouvriers ou les petits employés choisissent pour leurs living-rooms dans leurs HLM. »

Ç'avait effectivement été le cas du chef d'équipe des poseurs de moquette, et il n'avait pas manqué de rectifier ce choix aussitôt qu'il avait eu quelque chose de mieux à sa disposition.

« À mon avis, c'est une honte d'avoir fait un tel massacre dans cette magnifique vieille maison. »

Gwenda n'avait guère aimé l'allusion aux ouvriers et aux petits employés, qui étaient la catégorie de gens à laquelle elle appartenait. Elle estimait qu'elle n'avait « pas de temps à perdre à écouter mademoiselle la Maligne », comme elle disait (mais seulement en s'adressant à Clive). Pourtant, elle resta debout où elle était, comme elle faisait toujours quand « la famille » était rassemblée, en adoptant une expression soumise et parfaitement ancillaire, mains jointes et tête baissée. Ses lèvres dessinaient un petit sourire doux et résigné, et ses yeux se promenaient sur la moquette angora qui lui plaisait décidément beaucoup, et qui dans cette pièce était couleur corn-flakes. Elle ne jeta même pas un coup d'œil du côté de Beatrix. Elle n'en avait pas besoin pour prévoir ce qui allait se passer. Elle savait que Beatrix n'était pas femme à accepter des critiques et des reproches sans réagir ou en se contentant de hausser les épaules.

« Qu'est-ce que tu viens de dire ? »

Ce fut par ces mots qu'elle commença sa contre-attaque.

« Oh, maman, vous avez très bien entendu ce que j'ai dit, et il est absolument inutile que je vous le répète.

— J'ai surtout entendu que tu t'érigeais en arbitre du bon goût et en experte des distinctions sociales », dit Beatrix avec un sourire, laissant voir ses couronnes solidement arrimées.

Il n'était pas dans sa nature d'amortir les coups qu'elle portait, ni d'adoucir ses sarcasmes.

« Si l'on pense à l'immonde pavillon de banlieue où tu vis avec ton employé de banque, poursuivit-elle, alors il ne fait aucun doute que personne n'est mieux qualifié que toi pour juger !

— Bertie n'est pas employé de banque, il est directeur administratif chez Barclays, rectifia Julia.

— Il y a une différence ? La seule chose qui m'étonne à son sujet, c'est pourquoi un homme aussi ennuyeux et conformiste ne peut pas se décider à suivre jusqu'au bout les bonnes vieilles traditions et t'épouser.

— Allez-vous vous taire, vieille langue de vipère ?

— Excusez-moi, dit Gwenda. Je crois que je vous dérange. Je vous laisse, j'ai du repassage à faire.

— Au contraire, restez exactement où vous êtes, Gwenda ! Il est indispensable que quelqu'un puisse porter témoignage d'un tel comportement. Et toi, Alexander, est-ce que tu vas rester planté là et laisser ta sœur me parler de cette façon ?

— Si vous ne m'aimez pas telle que je suis, vous n'avez qu'à vous en prendre à vous-même, dit Julia. Vous êtes ma mère.

— Effectivement, je suis ta mère, et te mettre au monde a été la plus grande sottise que j'aie jamais faite. Le plus triste jour de ma vie ! Maintenant, j'attends tes excuses. Je ne supporterai pas d'entendre à nouveau ce genre de langage dans mon propre salon. Je me demande quelle tête tu feras quand je ne serai plus de ce monde et que tu découvriras que j'ai légué cette "magnifique vieille maison" à quelqu'un d'autre ! »

C'était une conclusion classique. Beatrix menaçait de modifier son testament chaque fois que Julia lui rendait visite. Jusqu'à présent, elle n'avait jamais mis cette menace à exécution, pas plus que Julia n'avait jamais présenté ses excuses à sa mère ou changé sa manière de s'exprimer : elle se bornait à quitter la maison en maugréant entre ses dents, et revenait deux ou trois mois plus tard comme s'il ne s'était rien passé. Les choses ne furent pas différentes ce jour-là, et n'eussent peut-être pas eu plus de conséquences concrètes que d'habitude si Julia n'était revenue avec Alexander une semaine plus tard.

Gwenda leur ouvrit la porte. Donner un double de ses clefs à son fils était une idée qui ne serait jamais venue à Beatrix, et qui lui aurait fortement déplu si quelqu'un s'était hasardé à la lui suggérer. L'expression sur le visage de Gwenda trahissait ses sentiments, sa stupeur de voir « mademoiselle la Maligne » réapparaître si vite après la scène de la semaine précédente, et peut-être aussi sa secrète satisfaction à la perspective d'assister à un nouveau crêpage de chignons. Beatrix prit le parti de faire comme si sa fille n'était pas là. Elle s'adressa uniquement à Alexander, pour lui parler d'un nouveau péril. Celui-ci venait des rayons toxiques émanant du magnétoscope si les cassettes vidéo étaient effacées et réutilisées plus de dix fois. Dix était le chiffre crucial. Au bout de dix enregistrements sur une même cassette, de dangereuses réactions chimiques se produisaient non sur la bande elle-même, mais à l'intérieur de la boîte en plastique noir qui la contenait : alors, une radiation invisible mais extrêmement nocive, une sorte de gaz s'en échappait et était projeté par l'intermédiaire de l'écran du téléviseur. Elle avait envoyé Clive acheter une provision de cassettes neuves et lui avait ordonné de brûler soigneusement toutes les anciennes.

Alexander répondit que tout cela lui semblait vraiment tiré par les cheveux. Sa sœur fronça le nez comme font beaucoup de gens lorsqu'ils respirent une odeur désagréable. Elle s'abstint cependant de tout commentaire sur la prétendue toxicité des cassettes vidéo, mais déclara qu'elle avait parlé de la névrose de Beatrix (ce fut le terme qu'elle employa) à une de ses amies, une physicienne distinguée. L'idée que les moquettes sombres pussent absorber la chaleur, lui avait dit cette femme, relevait de la plus totale absurdité, c'était un mythe stupide.

« Il ne devrait pas y avoir de femmes physiciennes, répliqua Beatrix. Le rôle d'une femme est de rester à la maison et de s'occuper de ses enfants. J'estime que si le monde est dans un tel chaos de nos jours, c'est principalement parce que les femmes se sont mis en tête de travailler et d'imiter les hommes.

— Elle n'a pas d'enfants.

— Ça ne m'étonne pas. Ses fonctions reproductrices ont sûrement été détraquées par le travail qu'elle fait. Ou qu'elle prétend faire.

— À vous entendre parler, dit Julia, on pourrait croire que vous ne vous êtes pas arrêtée à deux enfants, mais que vous en avez eu une bonne douzaine. Qu'est-il arrivé à vos fonctions reproductrices ? À moins, bien sûr, que vous n'ayez été trop égoïste pour avoir envie d'en élever d'autres.

— Il faut que j'aille surveiller ma blanquette à la cuisine, dit Gwenda, sans pour autant faire le moindre mouvement pour quitter la pièce.

— Restez ici, Gwenda, s'il vous plaît, dit Beatrix. Cette fois, la coupe est pleine ! Avez-vous jamais, de

169

toute votre vie, entendu une jeune femme parler de cette façon à sa mère ? Répondez-moi, Gwenda.

— Oh, je ne veux pas m'immiscer dans vos affaires de famille, madame Cooper-Gibson, dit Gwenda. Je ne suis qu'une domestique. Ce n'est pas à moi de juger.

— Mais le ton même de votre voix trahit votre pensée, Gwenda. C'est la voix de la loyauté et du dévouement qui parle en vous. Je perçois très bien que vous êtes scandalisée, et quoi de plus naturel ? »

Beatrix avait une voix extraordinairement sonore pour une femme de soixante-quinze ans. Elle lui fit émettre un maximum de décibels.

« Sors de cette maison immédiatement !

— Si je sors, prévint Julia, je n'y remettrai jamais les pieds.

— C'est bien ce que j'espère. Ce serait un vrai soulagement pour moi d'être sûre que je suis enfin délivrée de ta présence et de tes insultes. Quant à toi, Alexander, je te verrai mardi. »

De fait, elle le vit le mardi suivant. Mais entre-temps, elle avait refait son testament. Quand son fils et sa fille furent partis, elle demanda à Gwenda de lui apporter le téléphone mobile, appela Me Webley, son notaire, et l'invita à déjeuner. Il vint le lundi. Clive, qui se chargeait de la cuisine lorsqu'il y avait des invités, avait préparé de la « mozzarella tricolore », un caneton farci et une charlotte russe, car tant Beatrix que le notaire étaient amateurs de mets délicats. Alors qu'ils buvaient leur café et que Beatrix (mais non Me Webley, car il devait conduire ensuite) sirotait un petit verre de Drambuie, l'homme de loi sortit de sa mallette un grand cahier et nota sous sa dictée les volontés de sa cliente : pas un clou (ce furent ses propres mots) pour Julia, une somme symbolique pour Alexander, et tout le reste pour Gwenda et Clive.

Me Webley se permit quelques paroles de protestation sur un ton déférent.

« Quand vous aurez fini, dit Beatrix, vous aurez peut-être l'amabilité de vous souvenir qu'il s'agit de MON argent et que j'en fais ce que je veux. »

Le testament fut établi en bonne et due forme et envoyé à Beatrix pour qu'elle le relût attentivement, puis, si elle en approuvait la formulation, le renvoyât après l'avoir signé. Ce n'était pas la première fois que pareille chose se produisait, à ceci près que dans le passé les nouveaux bénéficiaires avaient été d'autres personnes ou des œuvres de charité, et chaque fois Beatrix avait fini par déchirer le nouveau testament, ou à tout le moins ne l'avait pas renvoyé à Me Webley, en sorte que l'ancien, celui qui laissait tout à Alexander et Julia, demeurait valide. Mais cette fois, Beatrix était bien décidée à aller jusqu'au bout.

Elle lut et relut le document, et quand Gwenda entra dans la pièce elle lui dit qu'elle avait besoin de deux témoins.

« Clive et moi, nous serons enchantés de vous servir de témoins », dit Gwenda — ce qui n'était pas vraiment sincère, car elle était sur des charbons ardents.

Beatrix posa sur elle un long regard chargé de sens.

« Non, ça ne ferait pas du tout l'affaire, dit-elle. Peut-être pourriez-vous aller sonner chez Lady Huntly et lui demander si elle me ferait le plaisir de venir prendre un verre de sherry. Et pour le second témoin, eh bien ! Si Brian n'a pas encore fini de tailler la haie, faites-le venir aussi. Mais assurez-vous qu'il se lave les mains avant d'entrer. »

171

Lady Huntly était la veuve d'un conseiller régional et Lord-Lieutenant qui avait été anobli pour avoir profusément subventionné le Parti conservateur. C'était une petite vieille dame pleine d'entrain, qui arborait un rouge à lèvres vermillon et une perruque de boucles bleutées. Son mari lui avait laissé suffisamment d'argent pour qu'elle pût continuer à habiter la grande maison edwardienne à tourelles et créneaux néogothiques de l'autre côté de la rue, à conduire sa grosse BMW et passer une partie de l'hiver dans une élégante station balnéaire en Floride. Son passe-temps favori était la danse de salon, qu'elle pratiquait trois fois par semaine à l'heure du thé avec toujours le même partenaire, un monsieur qui avait été son petit ami cinquante ans auparavant. Beatrix l'aimait bien, parce qu'elle était toujours disposée à l'écouter avec sympathie quand elle lui parlait de toutes ses frayeurs et partageait même dans une certaine mesure son anxiété face aux périls que représentaient les vidéos toxiques et les prothèses dentaires qu'on risquait d'avaler — dans le cas de Lady Huntly, trois couronnes et deux bridges.

Le jardinier, Brian Gospel, était le chanteur d'un groupe de musique country qui se produisait dans des bars et des boîtes de nuit, et son véritable nom était Gossett. Il tondait les pelouses de Beatrix et taillait ses arbres et ses haies entre deux engagements. Julia disait que sa mère devrait faire attention et qu'elle espérait que son assurance couvrait tous les types d'accidents, car il était visible que Brian souffrait d'un dérangement neuromoteur : il suffisait de voir ses tics et ses gestes saccadés, et sans doute n'était-il guère prudent de lui laisser entre les mains un taille-haies électrique. Beatrix n'en croyait

172

rien, et disait qu'il mimait seulement des solos au banjo, ce qui ne convainquait nullement Julia. Il avait vingt-trois ans, c'était un grand type brun et maigre, plutôt laid, mais d'une laideur qui avait quelque chose de sexy.

Telles étaient les deux personnes que Gwenda fit entrer au salon pour apposer leurs signatures au bas du testament, à côté de celle de Beatrix.

« Il faut écrire : en présence de la testatrice et du co-témoin », dit Gwenda, qui avait consulté une brochure sur les testaments au Citizen's Advice Bureau[1].

Elle continuait à penser que Beatrix risquait de changer d'avis. Elle resta près de la porte, les bras croisés et la tête baissée, retenant son souffle. Beatrix signa. Lady Huntly signa à son tour, avec son propre stylo-plume Mont-Blanc, puis ce fut le tour de Brian. Celui-ci dit ensuite que ces dames pourraient être intéressées par l'idée de passer une soirée nostalgique à écouter et chanter en chœur les vieux « tubes » de Merle Haggard. Faisant papillonner ses faux cils teints en bleu, Lady Huntly dit qu'en effet elle était assez tentée, mais qu'elle allait y réfléchir. Quand Brian fut retourné à sa haie, Beatrix et elle s'installèrent confortablement dans le profond sofa et savourèrent leur sherry en papotant.

Dans la cuisine, une Gwenda au comble de la jubilation était en train d'annoncer à Clive que cette fois, c'était

---

1. Peut se traduire littéralement par « Bureau de conseils aux citoyens ». Il s'agit de bureaux qu'on trouve en Grande-Bretagne dans la plupart des villes et des quartiers et où les citoyens peuvent recevoir des conseils d'ordre juridique, social, administratif, etc. *(N.d.T.)*

gagné. Comme Mme Cooper-Gibson le lui avait ordonné, elle s'apprêtait à aller poster le testament dûment signé, en courant pour être sûre de ne pas manquer la levée de 17 h 30.

« Ou alors, je pourrais prendre la voiture et le mettre moi-même dans la boîte aux lettres de Webley, proposa Clive.

— Non, ne faisons rien qui puisse attirer l'attention sur nous », dit Gwenda.

Elle se suspendit à son cou, l'embrassa passionnément, puis courut jusqu'au bout de la rue avec l'enveloppe contenant le testament et la glissa dans la boîte à 17 h 12 exactement.

Mais le lendemain, elle se dit qu'elle aurait mieux fait de laisser Clive suivre son idée. Elle ne s'était jamais sentie aussi nerveuse de sa vie. Et s'il y avait eu un vol de sacs postaux ? C'étaient des choses qui arrivaient. Ou bien un postier malhonnête et irrespectueux de ses devoirs envers les citoyens et l'administration qui l'employait avait peut-être subtilisé une série de plis dans la boîte aux lettres, dans l'espoir d'y trouver des billets de banque glissés entre les feuillets des lettres ? Elle résista pendant deux heures, puis téléphona à Me Webley. Mme Cooper-Gibson, dit-elle, était très anxieuse de savoir s'il avait bien reçu le testament. Oui, il l'avait bien reçu, il l'avait sous les yeux en cet instant précis, répondit Me Webley, d'une voix assez agacée et même un rien soupçonneuse.

Gwenda regretta d'avoir téléphoné. Que se passerait-il s'il parlait de cette communication à Beatrix ? Peut-être déciderait-elle de refaire son testament ! Mon Dieu, quelle catastrophe, et quelle honte...

Alexander passa dans le courant de l'après-midi, comme prévu. Il eut un long entretien avec sa mère, et lui dit d'un ton plutôt larmoyant combien il était désolé qu'elle et sa sœur ne s'entendissent pas mieux. Si seulement chacune des deux voulait bien y mettre du sien ! En fait, il sous-entendait que ces disputes répétées étaient principalement de la faute de Beatrix. N'avait-elle jamais songé à consulter un psychothérapeute, ou du moins une personne compétente pour la conseiller ? Beatrix le pria de partir : elle était fatiguée et n'appréciait pas du tout qu'on vînt lui faire la leçon dans sa propre maison. Elle l'accompagna jusqu'à la porte, le poussa presque dehors, puis, en revenant au salon, elle s'appuya au mur et se mit à trépigner d'énervement. Lourdement chaussée, elle donna un grand coup de pied par terre, puis un autre, et un imposant portrait de famille dans son cadre doré tomba du mur et, dans sa chute, rencontra la nuque de Beatrix, puis ses épaules.

Ses pires appréhensions s'étaient réalisées. Elle hurla pour appeler Gwenda. Sa nuque et ses épaules ne lui faisaient pas très mal, mais elle était remplie d'effroi. Jusque-là, ses peurs avaient été réelles et irréelles à la fois : des obsessions qui la réveillaient la nuit et la mettaient dans un état d'inquiétude confuse, mais n'étaient guère plus que des lubies pendant la journée, des injonctions plus ou moins superstitieuses qui pouvaient provoquer des désastres si l'on ne s'y conformait pas, et dans ce cas, pourquoi ne pas s'y conformer ? Mais ce qui venait de se produire était la preuve qu'elle avait raison, qu'elle avait toujours eu raison, que ses craintes étaient bel et bien fondées !

Gwenda proposa d'appeler le médecin.

« Je ne veux pas le voir », dit Beatrix.

Lors de sa précédente visite, elle l'avait entendu dire à Gwenda que ses angoisses n'étaient que « le produit d'une imagination rendue délirante par la vieillesse ».

« Voulez-vous que je regarde votre dos, Mme Cooper-Gibson ?

— Non, laissez-moi. Maintenant que c'est arrivé, je ne pourrai plus jamais fermer l'œil. Ou alors, je revivrai toutes les nuits le cauchemar de ce tableau en train de me tomber dessus. »

Le tableau représentait le grand-père de Beatrix, en habit noir et portant une chaîne autour du cou qui était l'emblème d'on ne savait trop quelle fonction honorifique. Clive l'examina soigneusement, et ne tarda pas à constater que le cordon par lequel il était suspendu à son clou était très effiloché. Il devait y avoir dans la maison trente ou quarante tableaux d'une taille et d'un poids similaires (même si certains avaient des sujets un peu moins rébarbatifs), et Beatrix déclara qu'elle serait incapable de trouver le sommeil tant qu'elle ne saurait pas que tous les cordons sans exception avaient été remplacés. Clive se mit aussitôt à l'ouvrage, bien qu'il fût déjà 21 h 30.

Au moment de se coucher, Beatrix déclara :

« Ce que je vais faire est peut-être très imprudent, Gwenda, mais je crois que pour une fois, je vais prendre un somnifère.

— Vous avez raison, dit Gwenda. Après tout, il doit y avoir tout au plus une chance sur dix mille pour qu'une de vos couronnes se détache et se coince dans votre gorge.

— Je n'en sais rien. Je ne me risquerais pas à prendre des paris comme un bookmaker. En fait, j'incline à penser qu'habituellement le risque est beaucoup plus élevé, comme vous le savez, mais pas ce soir. Pas après que ce tableau m'est tombé dessus.

— Pardon ?

— La foudre ne tombe pas deux fois de suite sur la même personne, n'est-ce pas ? Ce n'est pas dans l'ordre des choses qu'un tableau tombe sur moi et que la nuit suivante j'aie une dent qui se coince dans ma gorge. De la même façon, on pourrait dire que cette nuit il y a autant de chances que n'importe quelle autre nuit pour que je sois brûlée vive à cause d'un court-circuit, du moins mathématiquement, mais en réalité ce n'est pas vrai.

— Puisque vous le dites », répondit Gwenda, peu convaincue.

Elle prit le tube de somnifères dans l'armoire à pharmacie et apporta un comprimé à Beatrix avec une boisson chaude.

À 23 h 15, Clive avait changé les cordons de vingt-deux tableaux.

« Ça ira pour aujourd'hui, dit-il à sa femme. Assez, c'est assez.

— N'oublie pas de vérifier si toutes les prises sont débranchées. »

Clive s'exécuta. Il monta dans leur appartement indépendant, à Gwenda et à lui, et se mit au lit quelques minutes avant minuit. Gwenda l'entoura de ses bras en dormant. À l'étage en dessous, dans la grande chambre de maître au sol nouvellement recouvert de sa moquette à longs poils rose saumon, Beatrix Cooper-Gibson était étendue périlleusement sur le bord de son lit et dormait d'un lourd sommeil. Le somnifère avait produit sur elle un effet particulièrement puissant, car de toute sa vie il ne

177

lui était arrivé que deux fois d'avoir recours à ce genre de substances. Totalement relaxée, elle gisait immobile comme une morte. Toutefois, elle avait dû faire quelques mouvements imperceptibles malgré la profondeur de son sommeil, car un observateur à l'œil aigu, s'il s'en était trouvé un qui l'aurait regardée depuis une heure, n'aurait pas manqué de remarquer que par rapport au milieu de son lit à baldaquin, elle s'était déplacée pendant ce laps de temps d'environ quinze centimètres vers le bord. À minuit et demi, ce déplacement avait continué, et sa progression augmenté de huit centimètres. À 1 h 15, elle était en équilibre à l'extrême bord du lit.

Le lit n'était pas bordé. Il ne l'était jamais, car Beatrix avait une autre phobie à ce sujet. Elle soutenait que si son lit était bordé, elle était inévitablement tourmentée par un cauchemar où elle rêvait qu'elle était enfermée dans un sac hermétiquement cousu, avec un serpent et un singe, et qu'ainsi ensachée en si peu plaisante compagnie elle était jetée dans le Bosphore. Aussi les draps et les couvertures pendaient-ils librement, cependant que la courtepointe en satin avait, elle, glissé de l'autre côté. Le bras gauche de Beatrix pendait mollement de sa couche. Puis ce fut sa jambe gauche qui se mit à pendre à son tour, bientôt rejointe par sa jambe droite. Bien qu'elle dormît d'un sommeil presque comateux, elle eut le réflexe d'agiter son bras droit pour se retenir, mais tout son corps glissa d'un coup et elle tomba sur le sol.

Elle dormait si profondément que même cette chute ne suffit pas à la réveiller. Elle resta étendue au pied du lit, face contre terre, le visage enfoui dans les longs poils de la moquette rose. Si elle s'était rapprochée du bord du lit en tournant le dos au vide, elle serait selon toute vraisem-

178

blance tombée les quatre fers en l'air et l'incident n'aurait pas eu de conséquences tragiques. Mais, toujours profondément endormie, elle gisait le visage pressé contre une épaisseur de longues fibres duveteuses qui lui rentraient dans la bouche et lui obstruaient les narines, et cela l'étouffa. Moins d'une demi-heure après sa chute, Beatrix était morte. Il n'était pas tout à fait 2 heures.

En entrant dans sa chambre à 9 heures comme tous les matins, Gwenda lança son habituel et joyeux : « Bonjour, madame Cooper-Gibson », mais ses mots se transformèrent en un cri de terreur. Sa première pensée fut que le malheur le plus redouté de sa patronne était arrivé, qu'elle avait avalé une de ses couronnes dentaires. Ce fut ce qu'elle dit au docteur, et la réaction de celui-ci sembla chargée de suspicion, pour ne pas dire d'indignation. Il avait remarqué la large ecchymose violette sur la nuque de Beatrix.

Le médecin légiste qui vint avec les policiers découvrit d'autres ecchymoses sur les épaules de Beatrix. On interrogea Gwenda. Elle raconta à l'inspecteur l'incident du tableau tombé du mur et heurtant sa patronne dans sa chute, en précisant que le cordon par lequel il était suspendu s'était tout effiloché avec le temps. Lorsque l'inspecteur eut constaté que le cordon dudit tableau était en excellent état, Clive expliqua qu'il avait remplacé la veille au soir non seulement le cordon du portrait du grand-père de Beatrix, mais ceux de vingt et un autres tableaux dans la maison. L'inspecteur sembla trouver toute cette histoire très bizarre, d'autant plus qu'Alexander lui déclara ne rien savoir d'un tableau qui serait tombé sur sa mère, alors qu'il l'avait pourtant quittée hier en début de soirée. La crainte qu'une telle chose se produisît n'avait jamais été qu'un des éléments de sa névrose, sans aucun rapport avec la réalité.

Les soupçons ne firent évidemment que s'accroître lorsque le contenu du testament fut dévoilé. Le document lui-même portait la date du lundi précédent — autrement dit deux jours plus tôt seulement. Tout ce que Beatrix laissait en héritage, sa maison, son portefeuille d'actions, ses diverses propriétés ainsi qu'un énorme capital, allait à ses « fidèles et dévoués serviteurs et amis, Clive et Gwenda Harrington ». L'enquête judiciaire sur la mort de Beatrix fut ajournée dans l'attente d'un complément d'informations, et la police continua ses investigations.

Lady Huntly déclara à l'inspecteur qu'elle avait été très surprise que Mme Cooper-Gibson lui eût demandé d'être témoin de la signature de son testament. De sa fenêtre, elle avait vu Gwenda traverser la rue en toute hâte, et elle avait sonné à sa porte avec une insistance aux limites de l'impolitesse, comme s'il s'agissait d'une question de vie ou de mort. Aucun doute, c'était bien le cas. Elle avait naturellement deviné de quel côté le vent s'était mis à souffler dès qu'elle avait compris que ni Clive ni Gwenda ne serait le second témoin. L'inspecteur eut aussi un entretien avec Brian, qui lui dit que jusqu'à ce fameux lundi il n'était jamais entré dans la maison plus loin que le vestibule, pour y recevoir son salaire, et qu'il aurait refusé de se mêler de cette affaire de testament si Gwenda ne l'avait supplié de lui « rendre exceptionnellement ce tout petit service, avant que la vieille toquée n'ait le temps de changer d'avis ».

Me Webley déclara à quel point il avait été stupéfait de recevoir un coup de téléphone de Gwenda moins de dix minutes après que le testament lui fut parvenu par la poste et qu'il en eut pris connaissance. En fait, il venait à peine de le retirer de l'enveloppe. Mme Cooper-Gibson avait souvent parlé de changer son testament dans le passé, il était arrivé plusieurs fois qu'il en notât au brouillon les nouvelles dispositions et même qu'il envoyât à sa cliente le document tout prêt à être signé, mais les choses n'étaient jamais allées plus loin.

Julia était décidée à contester le testament. Du moins, elle l'affirmait. Ces moquettes angora avaient été posées sur les conseils de Gwenda, dit-elle à l'inspecteur. Sa mère n'aurait jamais défiguré sa maison en remplaçant ses superbes Wilton par de pareilles horreurs si elle n'avait cédé aux efforts de persuasion de Gwenda et Clive, qui étaient parvenus à exercer sur Beatrix une influence aussi dangereuse que malsaine. Il ne fallait pas être grand clerc pour imaginer combien il avait pu leur être facile de convaincre Beatrix de faire une entorse à ses habitudes et de prendre un somnifère, puis de profiter de son lourd sommeil pour la tirer de son lit, l'étendre sur le sol et l'étouffer en lui pressant le visage contre les poils de la moquette. Les ecchymoses étaient la preuve qu'on l'avait portée comme un paquet. Tout cela n'était-il pas suffisant aux yeux de la police ? Que voulait-elle de plus ?

Jour après jour, Gwenda et Clive étaient questionnés interminablement, quelquefois chez eux mais plus souvent au commissariat. Ils continuaient d'habiter la maison de Beatrix, *leur* maison à présent. Leur appartement fut fouillé de fond en comble à plusieurs reprises, leurs objets personnels examinés à la loupe et même analysés scientifiquement dans les laboratoires de la police, on préleva des échantillons de leurs vêtements et du reste pour repérer la présence de fibres de moquette rose qui auraient pu provenir de la chambre de Beatrix et aboutir dans la leur. Personne ne leur dit jamais si l'on avait effectivement trouvé de ces fibres roses chez eux. Ils avaient commencé de se sentir mal à l'aise en présence l'un de l'autre : ils se montraient plus polis et prévenants qu'à l'accoutumée, mais avaient moins de choses à se dire.

Julia téléphonait ou écrivait à la police tous les jours, citant telle ou telle remarque que Gwenda avait prétendument faite au sujet de la santé de Beatrix, de l'étendue de sa fortune et des multiples possibilités qu'elle trouvât la mort accidentellement. Après avoir écrit trente-cinq de ces lettres, elle sombra dans la dépression nerveuse, dut se faire admettre dans une clinique psychiatrique et renonça à contester le testament.

Alexander se maria. Il n'avait jamais pensé qu'avoir une épouse fût envisageable tant que sa mère serait en vie.

Parfois, il arrivait que Clive passât la nuit en garde à vue dans une cellule du commissariat. Les agents de police commençaient d'ailleurs à s'habituer à le voir, et se montraient gentils avec lui comme avec une vieille connaissance, versant une petite rasade de whisky dans la tasse de chocolat réglementaire qu'ils lui apportaient avant d'éteindre la lumière, et lui apportant une couverture supplémentaire s'il faisait froid. Mais la loi interdisait que sa garde à vue durât plus de vingt-quatre heures en l'absence d'éléments nouveaux, et il n'y avait jamais d'éléments nouveaux. Quand à Gwenda, très souvent elle ne pouvait se retenir d'éclater en sanglots lorsqu'ils lui demandaient pour la énième fois pourquoi elle ne passait pas aux aveux sans attendre davantage, ce qui éviterait de faire perdre du temps à tout le monde et de l'argent au contribuable.

« Nous ne classerons jamais cette affaire, disait l'inspecteur, même s'il nous faut vingt ans pour avoir la preuve de ce qui s'est vraiment passé. »

Lady Huntly refusait d'adresser la parole à Gwenda et Clive. Elle et le vieux monsieur qui l'accompagnait à ses thés dansants les ignoraient ostensiblement, levant le nez et regardant de l'autre côté lorsqu'ils les croisaient. Bientôt, tout le voisinage les imita. On invitait Me Webley à dîner rien que pour l'entendre raconter avec un luxe de détails le déjeuner où il avait mangé de la « mozzarella tricolore », du caneton farci et de la charlotte russe préparés et servis par les célèbres assassins à la moquette.

Tout cela dura environ un an. Gwenda et Clive en vinrent à faire chambre à part. Gwenda disait qu'elle ne pouvait pas dormir si son mari à côté d'elle avait des cauchemars tellement affreux qu'il la réveillait deux ou trois fois par nuit en poussant un hurlement de terreur.

« Tes rêves à toi ne sont pas spécialement jolis non plus », dit Clive avant de transporter ses affaires dans la petite chambre au bout du couloir.

Avec son groupe de musiciens, Brian se rendit à Nashville, berceau de la musique country. C'était en fait un voyage organisé dont les étapes incluaient Graceland et Disneyland, mais bien sûr ses compagnons et lui espéraient que leur talent serait remarqué. Tandis qu'il se trouvait aux États-Unis, il tomba sur un bref article dans un journal et décida de le rapporter pour le montrer à la police lorsqu'il serait de retour en Angleterre. L'article en question parlait d'une riche veuve texane de Beach City qui était morte étouffée. Elle aussi était tombée de son lit, le visage enfoui dans les poils de sa moquette angora. *Après dix mois d'enquête,* disait le journal, *la mort a été attribuée à un accident un peu insolite, mais tout à fait plausible, et la police de Beach City vient de classer l'affaire.*

La procédure judiciaire concernant la mort de Beatrix fut rouverte, et le verdict prononcé fut : mort accidentelle.

Les voisins n'en continuèrent pas moins à ignorer Clive et Gwenda. La femme d'Alexander mit au monde une petite fille. Julia, enfin rétablie, sortit de sa clinique et écrivit une longue lettre à Gwenda, où elle lui présentait humblement ses excuses pour ses insinuations et lui demandait si elle pouvait, en échange d'un loyer modique, emménager dans l'appartement indépendant qui avait jadis été le leur. Bertie, le directeur administratif chez Barclays, l'avait quittée et était parti pour Hong Kong où on lui avait offert une meilleure situation. L'associé de Me Webley le prévint que s'il continuait à répandre des histoires de charlotte russe empoisonnée et d'intoxications alimentaires chaque fois qu'il avait déjeuné chez Mme Cooper-Gibson, il finirait par se faire traîner devant les tribunaux pour diffamation.

Clive et Gwenda vendirent la maison et partirent. Ils vendirent aussi presque tout le mobilier, mais Clive conserva le portrait du grand-père de Beatrix dans son habit noir avec sa chaîne autour du cou, en souvenir. Gwenda, elle, garda le magnétoscope et les vidéos pour se rappeler les jours heureux où ils avaient vécu tous les deux dans une parfaite harmonie, et sous le toit d'une femme qui avait eu pour eux les bontés d'une mère. Car ils étaient séparés à présent : leur couple, si solide et si uni pendant un quart de siècle, s'était brisé.

« En toute honnêteté, dit Gwenda, utilisant pour une fois cette expression à bon escient, en toute honnêteté, réponds-moi : est-ce que tu l'as tuée ?

— Tu sais très bien que non, dit Clive. J'étais endormi à côté de toi et tu étais endormie à côté de moi. »

Il réfléchit à ces derniers mots.

« Seulement, est-ce bien sûr que tu étais endormie à côté de moi ?

— Tu sais bien que oui, Clive.

— Tu étais tout aussi capable de la tuer que moi.

— Mais je ne l'ai pas tuée.

— Même si tu l'avais fait, tu ne le dirais pas, dit Clive.

— Toi non plus. »

Clive acheta une villa de sept pièces sur l'Île de Wight et Gwenda une grande ferme restaurée du XVIIᵉ siècle dans le Shropshire. Leur réputation les avait précédés, et l'un comme l'autre furent rejetés par les gens du pays. Mais enfin, comme l'écrivit Gwenda dans sa réponse aux vœux de Noël de Julia, si on était malheureux, en toute honnêteté, on trouvait un peu de consolation à l'être dans le luxe plutôt que dans la pauvreté.

TABLE

La Proie du chat, 1981
Les Deux Visages de Janvier, 1982
Le Jardin des disparus, 1982
Ces gens qui frappent à la porte, 1983
L'Homme qui racontait des histoires, 1983
Les Sirènes du golf, 1984
La Cellule de verre, 1984-1991
Carol (Les Eaux dérobées), 1985-1990
Une créature de rêve, 1986
L'Art du suspense. Mode d'emploi, 1987
Catastrophes, 1988
Les Cadavres exquis, 1990
Ripley entre deux eaux, 1992
Small g, 1995
On ne peut compter sur personne (nouvelles), 1996

KENNEY Charles
Le Code Hammourabi, 1996

RENDELL Ruth
Un enfant pour un autre, 1986
L'Homme à la tortue, 1987
Véra va mourir, 1987
L'Été de Trapellune, 1988
La Gueule du loup, 1989
La Maison aux escaliers, 1989
L'Arbre à fièvre (nouvelles), 1991
La Demoiselle d'honneur, 1991
Volets clos (nouvelles), 1992
Fausse Route, 1993
Plumes de sang (nouvelles), 1993
Le Journal d'Asta, 1994
L'Oiseau-crocodile, 1995
Une mort obsédante, 1996

VINE Barbara
Ravissements, 1991
Le Tapis du roi Salomon, 1992

Achevé d'imprimer
pour le compte de Québec-Livres
en septembre 1996

N° d'impression : 6426Q-5